> 從台海戰爭到居家避難,一次看懂

台灣人的民防必修課

著

目次

面對未知與不測，
我們需要知識與行動　何澄輝　006

戰爭與屈辱的選擇　沈伯洋　009

第一章　避難規劃與準備　013

壹、盤點戰災情境　015

一、我是誰？　016

二、我在哪？該不該移動？該準備哪些物資？　017

　　我在哪？｜確認是否鄰近戰爭時的高風險區域｜
　　約定臨時會面點｜物資準備｜飲水的重要性｜
　　飲水的取得與負載｜乾淨的飲水｜水過濾｜水消毒｜
　　乾淨的食物｜熱量

三、戰時情境　027

　　（一）個人衛生　027

　　　　手部清潔｜身體清潔｜足部清潔｜口腔清
　　　　潔｜頭髮清潔

　　（二）居家避難　029

　　（三）移動避難　033

四、移動避難的注意事項　　034
　（一）遭遇危險　　034
　　　1. 遭遇武裝單位
　　　　(1) 遭遇軍隊
　　　　(2) 遭遇戰鬥
　　　2. 空襲警報與爆炸武器
　　　　(1) 空襲警報
　　　　(2) 爆炸武器
　　　3. 遭遇攻擊
　（二）心理變化　　050

貳、避難以外的行動　　053
一、我還可以做什麼？　　053
二、可能遇到哪些事？　　054
　（一）政治活動
　（二）資訊滲透
　（三）恐怖攻擊
　（四）遭遇軍隊
　（五）撿到武器

三、絕對不要做的事　055
　　（一）跑進深山
　　（二）傳播心戰謠言
　　（三）私組民兵
　　（四）過度冒險
　　（五）破壞社會秩序

第二章　基礎救護　061

壹、安全至上　062
貳、你我都可以是「第一反應員」　065
參、傷病判斷　066
　一、檢傷分類　066
　二、傷患搬運　068
　三、常見環境急症　077

肆、簡易創傷處置　080

　　一、常備藥品與敷料　080

　　二、簡易創傷處置　083

　　　　（一）傷口與水泡

　　　　（二）穿刺傷

　　　　（三）壓砸傷

　　　　（四）骨折

　　三、大量失血　089

　　　　（一）止血的重要性

　　　　（二）止血法

　　　　　　直接加壓止血法｜止血處置－彈繃包紮

　　　　　　止血處置－加壓止血繃帶｜止血帶止血

　　　　　　法｜填塞式止血法

台灣人的民防必修課：
從台海戰爭到居家避難，一次看懂 應變篇

序
面對未知與不測，我們需要知識與行動

黑熊學院共同創辦人兼首席顧問　何澄輝

　　現實的世界與社會充滿風險，人人都希望不要遭受風險發生的後果。然而，面對危險導致損失的可能性，無視、輕忽、逃避、否認它發生的可能，甚至面對相關議題時惶恐不安或置若罔聞，都不能解決、也無法避免事態的發生。認真理解現況，針對可能的挑戰積極準備，謹慎應對，這是面對風險管控的基本認知，同時也是應有的態度。近年來，世界局勢並不太平，衝突與動盪頻繁突發，加劇了人們的不安。2021年5月，英國《經濟學人》雜誌封面文章，將台灣列為全世界最危險的地方，凸顯了身在此處的我們，其實正面臨著真實又迫切的地緣政治風險與危機。但弔詭的是，因為動亂與戰火並未直接波及台灣本土，台灣社會反而處於安逸的幻覺當中，提出警示的人，則因為各種理由，被視為不討喜的烏鴉，遭人嫌惡物議。

　　這些危機與風險，並不是直到衝突爆發、無可挽回的

階段才會開始影響我們。面臨嚴峻的威脅，此時此刻，人們必須開始重新規劃、配置資源，加強對於危害發生的預警機制，同時做好緊急事態的處置計劃與演練。同時，為了避免誤判，還必須時時評估、驗證自身的準備方案是否可行或有所遺漏。直面危機事態的可能，加強應變的反應速度與能力，才是實際且唯一的避害之道。

隨著資訊科技日新月異、推陳出新，社會大眾獲得資訊的管道、數量和速度也越來越多元豐富。但我們認為，正是在這樣的時刻，才更應該有一套以台灣為主體、提綱挈領的應變指南，幫助大家整理各種紛亂複雜的資訊，正確認知我們自身的處境，從而應對風險、迎接挑戰，思考該如何開始行動。這套手冊，不是應對這些狀況的終點，而是開始認知並且起身行動的起點，是提示，是參考，當然也是共同關心者積極作為的連結與基礎。

我們不確定前景是否總是晦暗陰鬱，會不會是我們過於杞人憂天？但近期世界各地所爆發的地緣政治衝突與危機，一再向我們表明：人們在大難將至之前，如果無視又諱疾忌醫，必然遭致橫禍與難以收拾的危害。未雨綢繆的故智，早被許多人視為刺耳的陳腐異音，刻意被忽視遺忘。但正因如此，才應該要認真看待災害、衝突與戰爭威脅的危害，並積極準備。畢竟唯有備戰，才能止戰！

識別威脅與挑戰是一種認知能力，而希冀我們所珍愛的

自身、家人、夥伴，甚至生活方式不被威脅危害，則是一種信仰與價值觀。那些早已內化成為我們自我認同的自由、身分，以及各種民主社會之間共享的普世價值，值得我們起身捍衛，也應該由我們一起守護。透過「知」與「行」，認知與實踐的合一，是我們面對未知不測的嚴峻挑戰，最好也最義無反顧的策略與責任。

序
戰爭與屈辱的選擇

黑熊學院共同創辦人兼榮譽院長　沈伯洋

在戰爭與屈辱面前，你選擇了屈辱；可是，屈辱過後，你仍得面對戰爭。——邱吉爾

邱吉爾這句話，是因為當年英國首相張伯倫，決定要用「理性、務實」的妥協，解決與希特勒之間的矛盾。然而，事後證明，希特勒的貪婪是沒有極限的。

中國也是一樣。

中國對台侵略的最終目標，是在花費極少的兵力下，讓台灣自己投降。而這個投降有一個形式，叫做「和平協議」。

中國在1951年與西藏簽了和平協議，1959年進入西藏鎮壓；香港被承諾50年不變，結果是香港國安法的制訂與血腥鎮壓；烏克蘭在1995年因為布達佩斯安全保障備忘錄放棄了核武，結果2014年克里米亞被併吞；之後的明斯克和平協議等看似解決了衝突，最後面臨的是2022俄羅斯宣

稱和平協議作廢，並全面進攻烏克蘭。

獨裁者的保證，在歷史上並沒有意義。和平協議的本質就是「侵略協議」。

你越軟弱，他越願意吃掉你。

台灣生存的唯一條件，就是自立自強。國外的幫助是一種期待，但如果沒有堅強的抵抗意志，盟友的幫忙都會失去意義。

我們黑熊學院之所以會被中國制裁，不是因為我們在教避難生存的方式，不是因為我們有急救相關的課程，也不是因為我們有軍事普及、認知作戰的教學。而是因為我們不斷地在提醒台灣社會大眾，敵我意識的重要性。

中國最懼怕的，是一群信仰民主、捍衛海島的人們。中國害怕的是鬥志，害怕的是與「一個中國」完全衝突的信念，害怕的是為了守護自由而堅忍不拔的心智。

因為這些都會讓中國的「侵略協議」無法得逞。

戰爭是意志的較量。

而我相信台灣的意志不會輸。我們民主前輩的經驗重量不會輸、我們土地之神的守護不會輸，我們高尚與自由的靈魂不會輸。

政府能做的，就是讓國軍做好戰備，並與國際接軌；民防能做的，就是學習現代的技能，撐住戰場的後方；一般人民能做的，就是確保堅強的意志，努力生活。

聽起來做台灣人很辛苦，但是，只要我們意志堅定，不管過幾個世代，台灣永遠都會在。

避難規劃與準備

第一章

　　提升國民在戰爭時的總體存活率,是黑熊學院創辦以來一直努力的目標,對於在戰爭時不會持有武器的絕大多數人來說,維持社會正常機能,持續經濟活動,讓物資流動給所需的人;持續提供各種服務、工作並繳稅等,都是國家得以長期抗戰的後援。

　　因此,在黑熊基礎營的避難規劃課程,除了帶領學員建立避難規劃,也會與學員分享戰前準備中各種可行的避難準備知識,而近年各國民防手冊的翻譯及運用,也讓包括黑熊基礎營、各國民防手冊和許多協力團體的知識開始傳播。

　　但若只是提及如何應對,但不知道為何如此應對,則會流於人人能說,但沒人知道「為什麼該這樣做」,最後反而失去最重要的應變能力。

　　因此本冊除了基礎避難知識,也加入對於民眾被捲入戰鬥時該如何行動,以及無論是民眾、後備或戰鬥人員都該瞭解的爆炸武器之影響、傷害及基本的躲避原則等知識。除了以圖文簡要說明如何應對,也盡力在簡短的篇幅內說明「為什麼」。

　　只知道「做什麼」,很容易被敵方預測,所以要知道「為什麼」,才有變化與彈性,並真正地保護自己。

壹　盤點戰災情境

為風險制定準備計畫有其必要，但不應建立鉅細靡遺的完美計畫，而是粗略、簡要的原則性、功能性計畫。鉅細靡遺的計畫通常會失敗，為了完美、細緻所消耗的時間等各種成本，其實不只更容易讓你放棄，也更容易增加應變危機時的風險。粗略的計畫和持續評估，才能保持思考和調整的彈性。無論是樹狀圖、心智圖還是條列式的筆記，大略地書寫下來協助思考都有幫助。思考戰災的應變準備，可以從我國確定會做的行動開始，對自己能夠控制的範圍內所能做的事進行規劃和管理。

在戰爭時，全民國防的動員會是防衛作戰的主力，社會功能的維持即是抵抗力量的後援。當戰爭發生時，相應的戰爭災害勢必會從個人、家庭到社會、國家，在各個不同層面影響每個人，而每個人在戰爭前能做哪些準備的前提是要先確定：一、你知道你在戰爭時會擔任哪個角色？二、這個角色該去哪裡做他該做的事？三、那個角色需要在戰爭中做什麼？

在思考準備的過程中我們會有非常多的擔憂，非常多的如果這樣、如果那樣怎麼辦？然而動手進行面對災害的準備並不需要考量那鉅細靡遺的如果，而是先做好我們一定得做的，再將這些慢慢融入生活。那麼，讓我們從「我是誰？」、

「我該在哪裡？」和「我能做什麼？」開始吧！

一 我是誰？

先想想戰時會不會被徵召？

依我國現行「強化全民國防兵力結構調整方案」、「因應全民國防兵力結構調整之替代役配合方案」的規劃，在全民國防組成體系中會被徵召的包括：以志願役為主，義務役專長人員可參加遴選加入的「主戰部隊」、以義務役為主的「守備部隊」、部分志願役與編管之後備部隊，以及民防系統裡的保安警察、地方民防團和替代役人員等，都在被徵召的行列中。而警察、消防、海巡人員等，維持社會安全及其他全民防衛動員準備的、專門技術與物力需求及關鍵基礎設施營運人員，也都會暫時被動員。

然而，並非所有人都要負擔軍事守備任務，武器裝備與指管人力也不足以讓全國人民一起在第一線作戰，無論如何動員可能仍舊是本來的工作內容，或調整作業區域。國家百工百業不可能全部的人都在召集、動員的行列，甚至絕大多數的人其實並不會是作戰人員，但也因為如此，非作戰人員更要為作戰人員做好後勤準備。而作為會被召集或動員的人，更應該瞭解自己在戰爭中可能擔負的工作和角色轉變，並與家人共同討論當自己長期不在家時的戰災應變計畫。

二 我在哪？該不該移動？該準備哪些物資？

▶ 我在哪？

　　戰爭中平民雖然不會是主要目標，但仍極有可能遭到波及，因此顧好自己的第一步就是先認識戰爭時的高風險區域，藉以判斷災難發生的當下該走或是該留，以及作為移動時路線規劃的參考。

▶ 確認是否鄰近戰爭時的高風險區域

　　平時就先辨認出自身周遭及預定的避難點沿線是否存在高風險設施或環境，戰災發生時才能作為就地或移動避難的依據。首先，有較高的遇襲風險設施，大致上可以區分為以下幾類：

登陸點

灘岸進行登陸作戰的難易度,依「適宜」、「勉可」及「登陸困難」區分為**紅、黃、藍**,登陸點的難度會隨潮汐、季節、時間及伴隨的地形變化而改變。在2023年海軍進行的兵要調查中,驗證登陸難度最低的紅色海灘包括:桃園竹圍漁港南側沙灘;林口寶斗厝;金山中角灣、水尾漁港沙灘、石角(萬里海水浴場);淡水沙崙、八里挖子尾;宜蘭利澤、壯圍、頭城;花蓮七星潭、台東知本沙灘;台南安平、黃金沙灘、喜樹沙灘;台中大安沙灘、梧棲沙灘;高雄西子灣等18處海灘。而勉可登陸的黃色和登陸困難的藍色海灘,雖然風險應較紅色海灘為低,但仍應保持適度的警戒。

政府機關

總統府、立法院與行政院等重要的中央政府機構應該會首當其衝,另外,縣市、鄉鎮的行政機關也可能會被標定成目標,依照層級與重要性的不同,風險也會有所不同。

軍事設施

軍營、指揮所、雷達站等設施很可能會被標定成主要目

標，甚至因為戰時軍校生也都會授階參戰，所以各級軍校都可能是敵人打擊的對象。

執法與消防救護設施

檢警調等對內處理國家安全與維護社會秩序的執法機構，及消防、醫院等應變單位亦有遭受攻擊的可能。

關鍵基礎設施

能源（發電廠、超高壓變電所）、水源（水庫、淨水廠）、通訊（電波塔、電纜站）等維持國家與社會重要功能運作的關鍵基礎設施，也可能是被攻擊或占領的目標。

因此，我們要做的第一件事情，就是把網路地圖打開，先把自家附近的上述設施大致記錄下來；除此之外，我們也要將這些「點」連成「線」，也就是說你家附近就算沒有這些設施，但卻坐落於省道、河道、橋樑等重要據點，敵人可能經過或占領的路線，那也會是一種風險。當我們把所有設施盡量標示出來之後，就可以大略知道風險程度高低，也就更知道下一步該如何進行。

▶ 約定臨時會面點

建議與家人討論，事先約定臨時會面點，作為通訊中斷、走散或無法回家時的集結點，這個地點的設立建議符合三個原則：

明確：約定一個明確的位置，而不是廣泛的空間概念，例如哪個公園大馬路旁靠餐廳哪一角的大榕樹下，而不是「附近的那個小公園」。

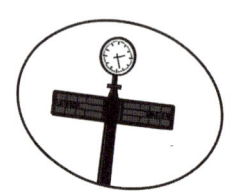

可到達：確保它的位置、路線都是家庭成員可到達的，不會出現某個成員因為缺乏交通工具，而無法抵達的狀況。

成員人人皆熟悉：應該是全家都去過的地方，最好也舉辦一次郊遊全員「一起實地踏勘過」，如此可以確保大家知道怎麼去，對於位置的理解也不會出現偏誤。

通常建議設立 2~3 個臨時會面點，前往的順序是從離家最近的開始，一路往你們的目標延伸（目標即是第二避難點，請見後文 P.33）。並設定集合時間，以成員可抵達的時間再加

上幾個小時,若超過集合時間就直接往下一個地點移動。

例如,第一個臨時會面點離家只有一公里遠,且所有成員步行至此所需時間為一小時,那就只需要在該地點等待約三小時即可繼續移動至下一個會面點。

另外,亦可以約定在避難點留下暗號溝通,例如可以在樹上繫上或黏上寫了簡短留言的布條、手帕或膠帶,註記你已經往下一個地方移動。

▶ 物資準備

準備足夠的維生物資是平民所能做的事中,基本、易行且通用的措施,不論是面對天災或戰災,基本的物資與器材都能派上用場,除了維持基本所需,也能穩定慌張的心情。

在物資的準備工作中,首先要辨明何者更為必要,「三三三原則」提供一個有用的指引,該原則說明當人在失溫、脫水、缺乏熱量時的致死速度,失溫最為快速,可能三小時就會致死,脫水次之可能為期三天,缺乏熱量則是三週。當然,每個人的身體條件與當時的外部環境不一,該原則的重點在於三個元素的風險優先性。

三三三原則的應用在於,當準備避難物資或戶外活動的器材時,要先考慮以上三項元素,當三項元素都備齊後,再考慮可能的特定情境所需,例如協助移動的輔具、提供心理支持的娃娃、照片(亦可用來尋人)等。

▶ 飲水的重要性

　　水分為人體維持生存、健康不可或缺的要素，因此在戰災中讓身體攝以足夠維繫生命的水分便極為重要。每個人的液體攝入需求量差異很大，一個粗略的算式是以自身體重計算，每人每天每公斤體重乘以 30～50/cc，因此一個 70 公斤的成人，一天需要至少 2,100cc 的飲水，如果活動量大或天氣炎熱、空氣濕度較低時，身體需求的水量便需要提升。脫水的程度可以用尿液顏色、排尿次數間隔作為判斷；以分次喝、慢慢喝、喝到不渴為原則；如果有大量出汗並補充大量飲水需求時，應考慮是否在水中加入鹽等電解質補充品。

▶ 飲水的取得與負載

　　在戰爭時，飲用水的取得變得相對困難，因此建議平時在家中逐步儲備足量的飲用水，而避難包的備用水量則依照當下的情境而定，要注意，水通常是背包中最重的物資，攜帶量要依據負重能力做權衡，亦可適時使用輔具。水資源的取得和移動時的負載、補給規劃，都應含括在防災計畫中。

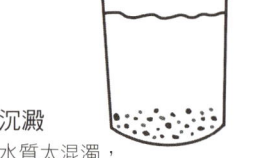

沉澱
水質太混濁，
可先用沉澱法降低初濾成本。

▶ 乾淨的飲水

　　請只飲用安全的水。
　　在難以取得安全的飲用水時，

可以依水質及可取得的器材,配合用水需求來調整過濾與消毒的淨水規劃。淨水以「過濾—消毒」為原則。如果使用的水源遭到重金屬和化學汙染,而手上的濾材和取水模式並不足以去除該汙染,則建議尋找其他水源。

▶ 水過濾

登山與戶外用的隨身濾水器是過濾飲水的方便工具,需注意的首要問題是其過濾孔徑是否能將微生物、病菌等濾除。即便是

便攜式戶外濾水器

從清澈的水源取水,仍建議至少要消毒後才進行飲用。如水質過於髒汙,則建議可以用如咖啡濾紙或以手邊資源自製濾材至少進行初濾後,才以濾水器進行過濾並執行消毒作業。

活用野外材料的濾水器製作方式:
1. 使用寶特瓶
2. 層層放上卵石、粗紗布、細沙、樹葉／棕櫚葉、木炭／活性碳、小石頭、布料
3. 過濾水質

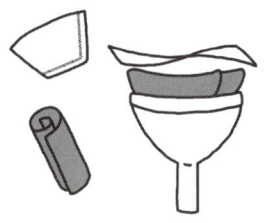

簡易濾水器製作方式:
1. 使用漏斗
2. 先鋪上紙巾或咖啡濾紙等濾材
3. 視情況鋪上三四層
4. 過濾水質

超簡易濾水裝置:
1. 取兩個水杯
2. 將有雜質的水放在上方、乾淨水杯放在下方
3. 使用廚房紙巾、手帕捲成條狀,作為過濾材料
4. 隨著時間,淨水會濾至下方水杯

• 023 •

應變篇

▶ 水消毒

最常見且通用的消毒方式為煮沸,其次為使用藥劑。

煮沸消毒為將水煮沸後,保持加熱十分鐘即完成(如為自來水等可信賴的水源,則一到三分鐘已足)。消毒藥劑的部分若無現成的淨水錠,則會建議使用無香味的漂白水(次氯酸鈉)、氯錠(次氯酸鈣)或優碘(短期使用)。

次氯酸鈉為市售含氯漂白水主要成分,有效成分會隨時間和保存方式淡化。常見的調配方法是在五公升清水當中,加入約 8 滴(1 cc)的漂白水,並至少靜置半小時等待殺菌完成。漂白水會因時間與保存狀況而使有效濃度下降,因此在進行物資管理時,也應將漂白水的保存期限放進檢查項目中。

次氯酸鈣也就是市售的氯錠或是次氯酸鈣粉,常見於游泳池或造景水池的消毒。調配的比例與順序是,在 7.5 公升

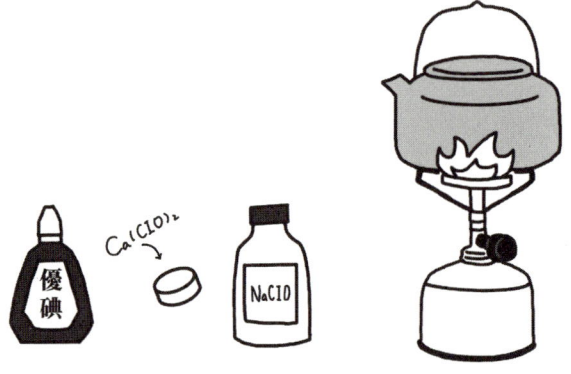

的水中加入約莫 7 克的氯錠或是次氯酸鈣粉,製作成濃度約 0.6g ／公升的氯溶液,再將此氯溶液以 1:100 的比例稀釋,例如在 50 公升的清水中,加入 0.5 公升的氯溶液。

　　優碘(非碘酊／碘酒)為常見的廣效型殺菌劑,除了用來消毒傷口,無替代資源的緊急狀況下,也可用來作為應急的消毒劑。作為消毒劑,優碘無法殺死隱孢子蟲卵囊,但仍有相當程度的殺菌能力,一般建議一公升的水使用 4 至 6 滴,靜置 30 分鐘;要記得,溫度也會影響優碘的消毒效率,在 22±3 度時,優碘最佳的消毒濃度為 0.08 ～ 30.9%,濃度過與不及都會使殺菌能力下降。若是在氣溫低於 20 度左右的環境,則建議靜置消毒一小時。

> **MEMO**
>
> 隱胞子蟲症(Cryptosporidiosis)是由隱胞子蟲感染所引起的疾病,臨床患者通常會出現發燒、噁心、腹痛及腹瀉等症狀。免疫力正常的患者病程結束後即可痊癒;免疫缺損者相關症狀則可持續數月之久,嚴重者甚至會導致死亡。

▶ 乾淨的食物

　　在衛生的前提下,需避免食物的浪費,若在較具衛生風險的環境,需區分受汙染的與乾淨的食物;如無法區分,則視為已受汙染處置。

養成先進先出的習慣,先放進冰箱的舊食材優先吃完,煮食過程盡可能保持清潔且生熟分離。

熟食是最安全的飲食方式但仍不應於常溫中久放,放置待食或暫時保存時,應留意是否能隔絕動物、昆蟲或汙水,吃多少煮多少會是比較適宜的管理方式。

▶ 熱量

人體需透過飲食攝取各種營養並轉換為熱量,若缺乏足夠的熱量補充將導致虛弱、體力下降並影響應變和判斷能力。熱量的需求受到年齡、體重、肌肉量、活動量等眾多因素影響,讓我們先用最簡單的計算方式建立一個能夠用來進行熱量評估的數字,之後有其他需要就可以用這個數字作為調整的基礎,或是依自身需求採用不同的計算方式。

公式:
體重 × 活動量 = 每日建議攝取熱量

舉例來說,依衛福部之統計指標計算,19 至 44 歲的男女平均體重分別是 75.4 公斤及 58.7 公斤。

每日活動量依輕、中、重的體重正常者活動量依次為 30、35、40,輕活動量就像坐辦公室的工作,中活動量就如機械操作、照護,重度的活動量就如搬家、搬運等。

因此假設體重為平均體重，避難時的活動量為中度，那麼會是：

男性：75.4×35=2639 大卡
女性：58.7×35=2054.5 大卡

以此公式，你也可以快速算算看自己現在一天的所需熱量是多少。

飲水與食物的準備上，建議居家的物資儲備以三週的量為目標，外出避難則以三天為目標。

三 戰時情境

（一）個人衛生

個人衛生是基本中的基本，卻容易為人所忽略。

對於不在前線作戰的一般公民來說，最可能在現代戰爭中增加生存風險的未必是槍砲彈藥，而是「個人衛生狀況不良所導致的疾病或感染」。

在環境衛生的規劃上，我們應把廁所與生活、飲食的空間分開，並確保排泄物不會干擾、汙染生活及所需。

▶ 手部清潔

疫情期間我們最常做的清潔就是洗手，而戰爭時的個人清潔也是一樣。做完任何可能沾染細菌的事情後，都請記得用肥皂、酒精等清潔劑洗手。為了避免藏汙納垢及增加受傷的機會，建議定期修剪指甲。

▶ 身體清潔

供水、加熱無虞的話，熱水澡會是最舒適安全的清潔方式。但在用水受限時，建議用水擦澡；擦澡時，濕紙巾在一定程度上會是方便的工具。尤其是脖子、腋下、腰部、胯下等容易出汗的部位，擦洗時不要用力過度以免擦傷，從乾淨的部位開始清潔，之後再擦較髒的部位。

▶ 足部清潔

保持適當乾濕度，避免因為濕潤導致摩擦起水泡，也避免因乾裂產生傷口。定期修剪腳指甲，避免移動或負重遠行時刮傷腳趾，如不確定足部與鞋子的狀況，五趾襪也可以是個好選擇，如此除了避免受傷，也可以減少細菌或真菌感染的機會。

▶口腔清潔

　　口腔清潔並非僅只保護牙齒健康，咽喉等部位的健康也會受益於口腔衛生的維持。即便是水資源有限時，也建議不沾牙膏直接用牙刷刷牙進行清潔，並使用牙線或牙線棒。

> **MEMO**
> 你不會想在戰爭時牙痛的！

▶頭髮清潔

　　頭髮為經常暴露在外的毛髮，若身處在較髒的環境則較有機會成為外寄生蟲附著的寄生環境，建議適當清潔梳理或修剪。

　　保持衛生除了避免疾病、感染等健康影響外，也能夠讓你在壓力下休息得更好，這對風險判斷和行動的積極性都有相當正面的幫助。

（二）居家避難

　　社會的韌性是抵抗作戰的基礎。對於多數的非作戰人員來說，其戰時的工作就是維持後方。國家在戰時的負擔勢必大幅增加，當我們繼續上班、上課，在維持日常生活的同時，也維持了社會各項機能的運作，也才更有餘力支撐前線作戰人員的各種需求。

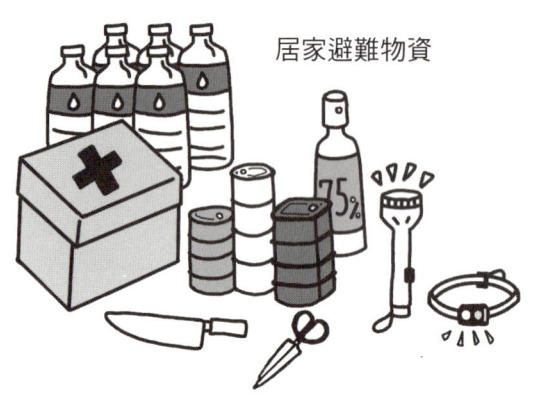

居家避難物資

如果住家周遭沒有易受戰火波及的政、軍要地或關鍵基礎設施,那麼居家避難會是最安全且合理的選擇。從資源的儲存、運用到鄰近區域的地形、道路的認識以及資源取得、購入的熟悉度,都能讓我們在戰時的不便與恐懼中,過著相對方便且更為安心的生活。

居家避難以生活物資儲備跟安全室的規劃最為重要。

戰災的生活物資儲備應該與日常生活平衡,無法與生活平衡的儲備計畫都勢必會成為建立防災準備的阻力與負擔。因此該如何進行準備,可以從衛生、飲食等基本生存需求開始思考。想像一下,當你的住家缺水沒電,你會用哪些現有

資源在必要的程度上去運作你從起床到就寢的日常生活，如果能運作，那麼能維持幾天？如果不能，那麼缺了哪些？接著，從生活中開始逐步建立這些防災的儲備。

在日常的生鮮食品外，逐步增加家裡平時就會食用且距離保存期限相對長的食品、飲品存量，並養成先進先出的資源管理習慣，利用賣場不同的特賣檔期以相對低價購入如罐頭、保久乳、瓶裝水等可久儲的資源，如此就可以用循序漸進、邊吃邊準備邊調整的方式建立起適合自己的資源儲備。此外，針對停電時因季節溫度造成夜間難以入眠的狀況，除了可以像軍隊、運動員在季節轉換時，讓身體進行冷、熱適應這類的調整訓練，亦可準備不需要電力的冷水墊、急救毯等簡便器材。

確認戰時避難的緊急避難空間在何處？或如何建立安全室？

緊急避難空間的規劃，先從一天中待最多時間的地方開始。在警政署的警政服務 APP 的「防空避難」專區中，查詢住所、公司、學校等常去且會久待的場所，周遭的兩處防空避難空間位置，並記錄是否能在 3 到 5 分鐘內實際移動到該避難空間，並檢視該防空避難室是否上鎖或被用來堆放雜物。如有類似狀況，則建議與社區或里長溝通改善方法。每天都會攜帶的背包或提袋，也建議可以放入適當的應急物資和工具以備不時之需。

物資準備的額外考慮元素

共同	⇒	慢性病常用藥物、禁用藥物清單、過敏藥物和食物資訊、緊急聯絡卡
女性	⇒	衛生用品
嬰幼兒	⇒	嬰兒食品、尿布
孩童	⇒	讓小孩安心的玩具、小零食
老人	⇒	各式輔具、常用藥物儲備、助聽器、電池、老花眼鏡
不良於行	⇒	輪椅、手套、輪椅用備用電池、輪椅維修組、助行器、手推車
精神障礙人士	⇒	藥物
寵物	⇒	牽繩、寵物籠、摺疊碗、玩具、疫苗接種手冊、洗出的寵物相片

其次，若住所樓層太高，或有任何原因而無法即時進入防空避難空間時，以對外是否有兩道實牆為原則（即兩道牆原則）評估家中各房間狀況，選擇家中最內側的房間或門外的走廊、樓梯間作為安全室，並建立室內掩體的避難規劃，則是另一個可行但方便的次佳解。

（三）移動避難

如果住家本身就處於高風險區域內，或是戰況情勢升高後，原本住家變得較不安全，我們就需要轉移到更安全的地方。所以事前規劃好第二甚至第三避難點，就顯得非常重要。

第二避難點的選擇，建議優先挑選不在高風險區域內的親友家，親友家可能不如自家自在且方便，但是在戰時能和較熟悉的人住在一起，尋求彼此心靈上的支持也非常重要。

如果親友家距離較遠，或是有其他不可抗力因素而無法遷往的話，我們可以挑選政府所公告的避難收容所作為替代方案。

民眾主要的避難地點分為「防空避難設施、災民收容救濟站」或「避難收容處所」，前者主要作為臨時性躲避敵軍空襲的避難地點，後者具備基本維生設施，可稍微長期收容。

住家距離第二避難點以及稍後順序的避難點之間，建議以步行三天能到達的距離為限。一般人在負重行走的情況下，時速大約 3 公里，一天至多能行走約 6 至 7 小時，也就是說三天大約能走 60 公里。如果各避難點之間的距離超過 60 公里，就需要仰賴其他交通工具，會提高無法抵達的風險。

四 移動避難的注意事項

（一）遭遇危險

1. 遭遇武裝單位

(1) 遭遇軍隊

如果遭遇軍隊，大原則是儘速迴避，其實在壓力和掩蔽

物、光線等認知和視覺阻礙的狀況下，並不是每個人都能從遠處或暗處快速進行敵我識別。先確認自身安全才進行即時情報的提供；如果確定遭遇的是敵軍，而又能夠確定自身安全且未被發現追蹤，那麼便可以嘗試拍攝記錄並上傳資料至相關的平台或單位，這樣的情報可能對於守備任務有幫助。而如果遭遇的是我方軍隊，那就給予物質或心理上的支持，絕對不要拍照上傳，或在網路上討論我方人員的行蹤，任何一張照片都能提供一定程度的背景資訊，而這些背景資訊可能會被敵軍如何運用則未可知，因此蒐集敵軍資訊並避免避免我方資訊的流出才是當為之舉。

(2) 遭遇戰鬥

戰鬥是需要整合執行的專業，友軍誤擊是絕對應該要從源頭斬斷其發生的可能。未受過完整戰鬥訓練且未在戰鬥指管體系中的公民，在戰爭中能發揮最大效益的部分是後勤而非戰鬥。唯有社會整體都

台灣人的民防必修課：從台海戰爭到居家避難，一次看懂 （應變篇）

避難方向

錯誤方式　　錯誤方式　　正確方式（躲至掩體後方）

熱區

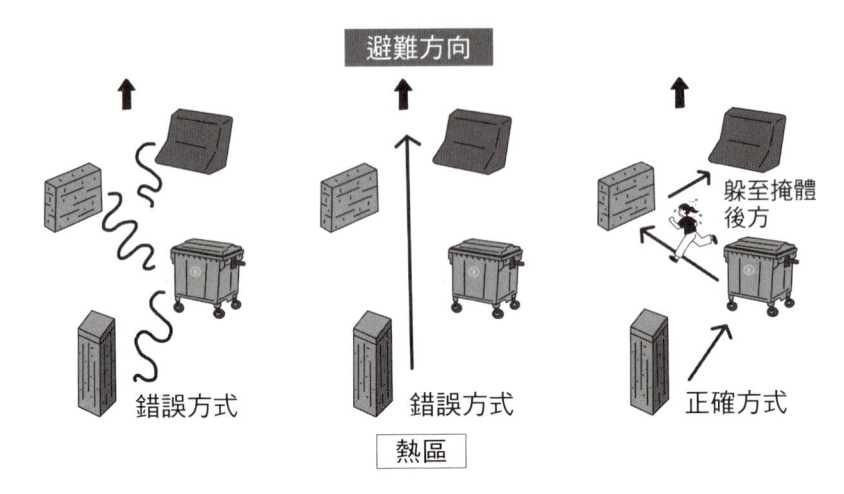

盡其所能地發揮其最大效益，國家乃至社會才能在戰爭中得勝、存活。也因此在遭遇戰鬥時，一般公民最好的選項應是儘速脫離戰場，而非在從通聯到作戰都跟正規單位（含戰鬥、執法和救護），既沒縱向也沒橫向協作的狀況下，徒增正規部隊的風險和負擔。

　　在戰鬥環境移動時，應尋求掩體而非掩蔽物，掩蔽物只能遮蔽身型，而掩體可以防止子彈傷害身體。在城鎮環境裡，可作為掩體的除了鋼筋水泥建築，最常見的還包括汽車的引擎和鋼圈的部位。當你遭遇攻擊時，如果可以脫逃，建議以可能的攻擊點為圓心，向敵軍可能進犯的反方向或垂直方向逃離，如果無法脫逃，就立即尋找安全處所躲避。

　　逃離時應盡可能在掩體後或掩體間移動，以可能的攻擊點為圓心，將掩蔽物視為圓上的弦，並盡可能在從圓心到弦

向外放射的投影中移動；若無法在掩體的投影後移動，則應避免持續選擇同一直線上的掩體；適時在出發前選擇不同方向的掩體躲避，並在身心都準備好後便向下一個掩體移動，持續移動直到離開危險區域。

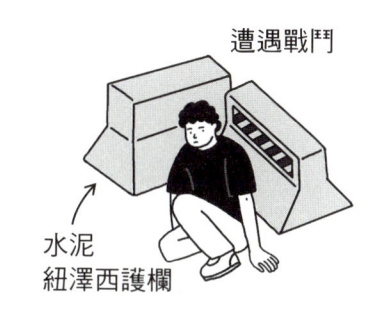

遭遇戰鬥

水泥紐澤西護欄

2. 空襲警報與爆炸武器

(1) 空襲警報

空襲警報響起時，距離飛彈擊中地面大約只有 3 到 5 分鐘的時間，因此當聽到或手機收到空襲警報，請務必立刻前往最近的防空避難室。現代都會區的防空避難室，通常就是大樓的地下停車場、位於地下室的車站站體或是地下通道。

如果位於室外空曠處或是汽車內，建議遠離車輛，尤其不要待在車內，就近尋找並躲入任何凹陷地形，例如水溝。

如果位於高樓層或是沒有把握及時到達地下防空室，次佳的選擇是原地尋找安全的空間。安全的空間需盡可能符合「兩道牆原則」，就是指你和所有對外窗之間都存有兩道實牆的空間。第一道牆雖然能相當程度地阻止飛彈、炸彈等爆

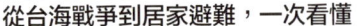

炸武器的各種傷害，但卻未必能完全阻隔其影響。除了窗戶玻璃碎裂後形成的破片，因為衝擊波造成牆壁內側破碎飛出的二次破片也有機會造成傷害。

抵達防空避難室或其他安全空間後，應該要採取的避難姿勢如下：

膝蓋和手肘著地，身體微拱放鬆，拇指塞住耳朵，其餘四隻手指蓋住眼睛，手掌保護臉頰，嘴巴微張，保持身體內外壓力平衡，以防衝擊波對人體造成嚴重傷害，維持此姿勢直到空襲警報解除。

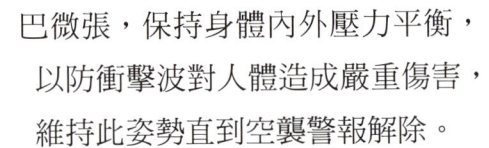

在沒有辦法即時找到掩體的情況下，此時較適合採取背對可能的爆炸點原地趴下、兩腳腳板交叉以保護鼠蹊部，並且雙手抱頭盡可能降低立體截面積的姿勢。特別注意，尋找掩護體依然是最優先選項，此舉為不得已情境下所能採取的避難方式。

(2) 爆炸武器

除了恐怖攻擊中可能使用的，包括各種簡易爆炸裝置的攻擊武器，民眾在戰時最有機會受到的武器傷害還包括槍械以及飛彈、炸彈、砲彈等爆炸武器，而爆炸武器更是造成戰時非戰鬥人員死傷的主要武器之一。其殺傷方式從殺傷距離排列可分為：高熱與燃燒（殺傷距離最短）、衝擊波（殺傷距離較短）和破片（殺傷距離長）三種類型。三種傷害同

時發生，依距離爆炸地點的遠近，決定承受傷害的比例與程度，需要的安全距離則依所投射爆炸武器的彈頭、裝藥有所不同。以在國際間被許多國家使用的 155 mm 高爆彈為例，當你在開闊地形距離爆炸中心 0～15 公尺又沒有適當掩體可躲避時，將同時承受高熱、衝擊和破片的傷害，而幾乎沒有生存的可能。如果能遠離爆炸中心到 550 公尺以上，或者找到合適的掩體避難，則生存的可能性就會到近乎安全的程度。

　　無論是空襲或是砲擊，就爆炸武器的應對而言，距離和身處的所在就是最重要的應變工具。在遭遇爆炸武器攻擊時，鑽進車裡或留在車上躲避是非常常見的誤區。爆炸武器在封閉空間所造成的傷亡率要更高於開闊區域，而在車輛這樣的封閉環境內，衝擊波反射、增強及破片將對車內躲避者

155mm 高爆彈殺傷距離

與爆炸點的距離	致傷與死亡	
	爆炸傷	破片傷
0-15m	死亡，鼓膜破裂	死亡
15-25m	鼓膜破裂	死亡
25-40m	可能聽覺受損	受傷
40-550m	無	可能受傷

造成較開放區域更致命的傷害。因此在防空避難情境下，避難作為應是立即向地下或低窪處移動，以在環境允許的範圍內將自己縮到最小的避難姿勢躲避，倘若在空曠處無法即時避難，則是找尋非封閉環境的可用掩體進行避難。

高熱與燃燒

爆炸武器不同於白磷彈、鋁熱劑燃燒彈等燃燒武器，燃燒武器的目的在點燃物體或造成人員燒傷，而爆炸武器則主要依賴衝擊造成的暴風和破片造成殺傷。即便如此，爆炸武器依然具有高溫與燃燒的傷害能力。爆炸武器傷害距離最短的是火藥所產生的高熱造成的直接傷害，和高熱造成爆炸區域的燃燒和延燒的火災。由於爆炸武器的殺傷能力是高熱、衝擊、破片共同作用，且暴風和破片的殺傷影響更大，也因此倘若是身處高熱傷害的殲敵區（killing zone），則必定會同時遭遇極高強度的衝擊和破片殺傷，而使承受高熱傷害的人體難以存活。高熱使爆炸區域周遭可燃物燃燒與延燒，可能在爆炸結束後使人員直接受傷，或持續毀壞建築結構增加後續的傷亡。遠離可能被轟炸的場所及留意被轟炸過後現場的環境風險，在受到高熱傷害時儘速除下被引燃的裝備或衣物，並儘速進行燙傷處置後送醫。

倘若身處於無其他危安因素的火災中，即便手上有能夠對應該種火災類型的滅火器，若是在 5 秒內無法以滅火器撲滅火勢，仍應該立即脫離；若已撲滅且確認現場及周遭為相

冷區
人民往外移動，軍隊傷患暫時安置等待後送處置

暖區
軍人在使用無線電跟準備彈藥

熱區
戰鬥中

對安全之環境，而自己又需要持續留在該處，則需接著搜尋是否仍有隱藏的殘火，將其清理降溫，並通報消防單位協助確認。

爆炸波 (Blast Wave) 的傷害

▶ 爆炸波的壓力變化

爆炸波是彈藥爆炸後在空氣中傳播的衝擊波（shock wave）和爆炸風（blast wind），其最主要的變化是，爆炸後從超壓頂峰開始，隨著時間變化的超壓正相期與超壓負相期。

1. 超壓頂峰：爆炸時為正相壓力的最高峰。
2. 超壓正相期：超高正壓會由中心向外擴散將物質、空氣向外推移。
3. 超壓負相期：空氣被推回到真空的爆炸區域形成相對較小的負壓狀態。

其後隨著時間發展，波動逐次消減回歸正常氣壓的狀況。

▶ 封閉空間與開放空間

衝擊波因為帶有高速及強大的能量，因而不只會直接影響其所撞擊和反射的介質，在反射後亦會加入正相期的暴風持續傳遞、反射，這會使結構體內的破壞被放大到造成比初始爆炸還嚴重的傷害。衝擊波因為具有波的性質，使其在開

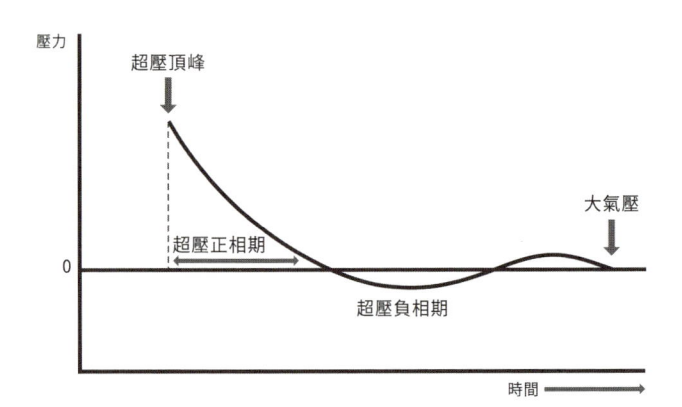

放空間和密閉空間內造成傷害的程度不同。在開放空間時，衝擊波的威力會隨著距離逐步遞減，但是在封閉空間的結構物之間，除了受到衝擊波的反射，也會伴隨著彈體破片和因衝擊產生的二次破片，造成較開放空間更為嚴重的傷害。因此即便人們會反射地認為可以躲在車內避免爆炸武器的傷害，但車內這樣的封閉空間其實會使避難者承受更加嚴重的傷害。

▶ **衝擊波對人體的傷害**

衝擊波對人體的傷害主要在正相期的階段。人體器官有中空與實心之分，衝擊波產生真空，與人體尤其是中空器官內空氣間的壓力差，有極高機率造成肺臟、腸胃道、鼓膜等中空器官受傷，而衝擊波在傳遞時因高壓使人體移動，也會使體內不同質量的器官因加速、減速時產生的拉扯而撕裂。因此除了人體與物體在衝擊波傳遞過程中發生撞擊或直接破壞而受傷外，即便人體外觀看似正常，衝擊波本身也有可能在人體內造成傷害，輕者如鼓膜及聽小骨受創，重者則如內臟挫傷、撕裂傷或腦部損傷等。

防止衝擊波傷害的最佳方式會是躲進地下的防空避難處所，而若人在戶外來不及或沒有防空避難空間的話，則是躲進低於路面的穩固坑洞、乾溝或任何水泥掩體，作為最不得已的替代選項。

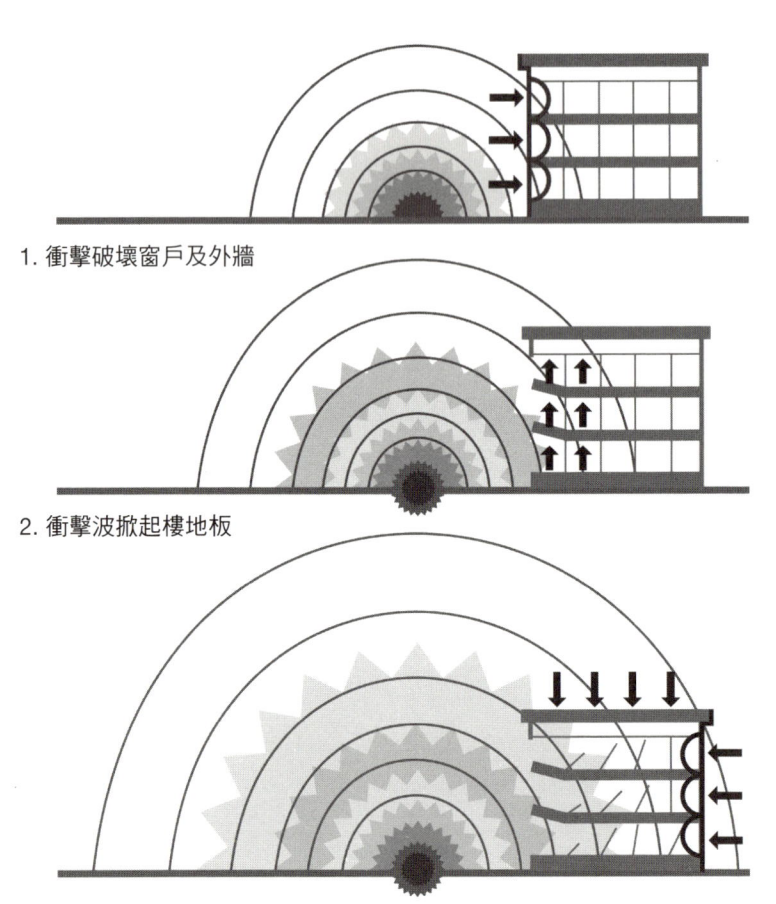

台灣人的民防必修課：從台海戰爭到居家避難，一次看懂 應變篇

1. 衝擊破壞窗戶及外牆

2. 衝擊波掀起樓地板

3. 衝擊波環繞整個結構壓力往屋頂下壓向內的壓力自各方壓入

▶ **衝擊波對建築物的影響模式**

1. 衝擊波以爆炸中心為球心向外傳遞，其正壓力將先接觸到的窗戶、外牆柱等結構，向建築物內部推擠。
2. 牆柱被破壞，使建築物失去支撐而讓樓地板被掀起。

3. 在超壓正相期過後，壓力由外而內進入超壓負相期破壞整體的結構，毀壞建築物。理解理論後，便更能想像衝擊波的危險。

破片傷害

爆炸武器的殺傷型態中，有效距離最遠的是破片傷害，也是一般公民最有機會遇到的。破片傷害的問題主要在擊中位置和動能消耗。

▶ **擊中位置**

相同的速度和破片大小，倘若破片擊中致命部位如心臟、頸部等臟器或要害，則風險勢必會比擊中肢端或肌肉要高，其中尤其以眼睛，更常因細碎的破片造成嚴重傷害。

▶ **動能消耗**

破片對於人體的傷害除了擊中位置，也包括在擊中人體時，其在人體內消耗動能的多寡，破片在人體內消耗的動能越多，對人體的傷害就越大。破片動能的消耗受到包括破片的速度、在人體內的運動軌跡和是否擊中堅硬結構如骨頭等因素的影響。以速度來說，低速破片因為在人體內消耗較多的動能，而可能會對人體造成較大的傷口軌跡，以及較難修復的不規則狀撕裂傷。高速破片則容易造成貫穿的傷口。

▶ **一次破片與二次破片的成因與風險**

破片傷害可以細分為一次破片，也就是彈頭本身爆炸後

台灣人的民防必修課：
從台海戰爭到居家避難，一次看懂　應變篇

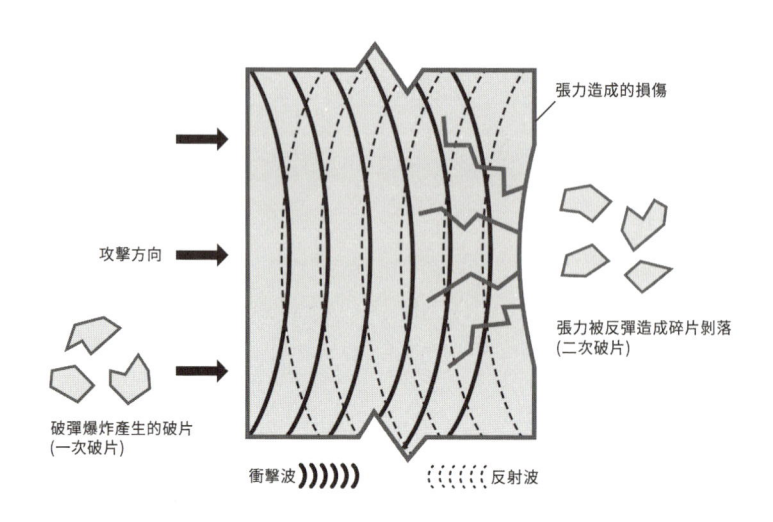

張力造成的損傷

攻擊方向

張力被反彈造成碎片剝落
（二次破片）

破彈爆炸產生的破片
（一次破片）

衝擊波))))))   ((((((反射波

所產生的噴濺碎片，二次破片指的是其他因為被衝擊波破壞後的物體所產生的噴濺物。對於一次破片的傷害，如果情況允許，盡可能同躲避爆炸波的原則向地下的防空避難空間、掩體或水溝、坑洞躲避。若無法找到這樣的空間，則盡可能降低人體相較於爆炸方向的截面積，也就是背對爆炸方向臥倒並將腳板交叉保護鼠蹊部。二次破片標準的躲避方式，則是常在各國及各家民防手冊提到的兩道牆原則。

▶ **兩道牆原則**

利用外牆以外的第二道牆作為居家掩蔽的方式，其主要目的是為了避免為二次破片所傷。二次破片來自於衝擊波破壞建築物的結構後，建築結構內側因張力在衝擊波反射後形

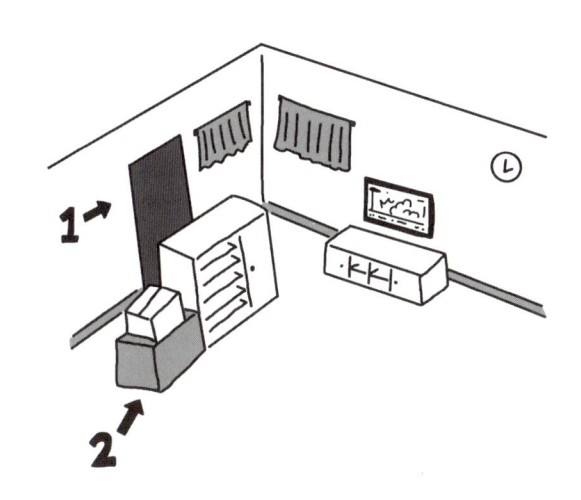

成二次破片向室內噴射，進而傷害待在室內的人。所以在室內避難時，尋找符合「兩道牆原則」的空間至關重要，在兩道牆之後，可有效降低二次破片傷害的可能性，倘若找不到第二道牆，則退而求其次以能夠抵擋破片傷害的物體，如家具、沙包、豆袋等在家中建立掩體。

3. 遭遇攻擊

在戰爭中，可能會遭遇包括潛伏的敵軍或在地協力者等不同的攻擊者和攻擊形式，當你遭遇包括槍械、刀械或車輛等以任何形式針對一般公民的攻擊時，請記得「逃、躲、打」的原則；能逃就逃，逃不了就躲，躲不住就做好準備全力反擊。

台灣人的民防必修課：
從台海戰爭到居家避難，一次看懂 應變篇

🎯 **逃：**

1. 如果距離夠遠，且判斷能安全脫逃，不管其他人願不願意走，都請盡快遠離該區域。
2. 在安全時報警，並回報你看到的位置、人數、武裝等資訊。
3. 讓援軍、執法人員明確看到你打開並高舉過頭的雙手。

🎯 **躲：**

1. 如果太近太危險，請找安全的掩體或掩蔽物躲起來，封閉任何出入口，不讓可能的威脅有機會進入。
2. 保持自己和手機等通聯器材的靜默。
3. 直到確認安全之前都先在該處躲避，並做好「打」的心理或戰鬥準備。

◎ 打：

1. 盡一切努力都無法安全疏散或躲藏,且生命安全有急切的風險,應立即規劃進行戰鬥的準備。
2. 利用周邊能產生殺傷力的器材(如:滅火器),用有效的方式(如:撞擊、砸打)進行攻擊。
3. 思考如何擾亂攻擊者的行動,規劃可行的殺傷區,以足夠侵略性的攻勢反壓攻擊者,直到這波反擊結束。

持續進行逃躲打的循環,直到脫離危險區域為止。

二次攻擊的風險－針對救助者的殺戮

在一些恐攻或是戰爭的案例中可以發現,攻擊者在第一波攻擊造成傷亡後稍停,待熱心群眾、警消醫護等有行動力的專業人力前往救助第一波的傷者時,針對這些救助者進行第二波的攻擊或爆破,以有效殺傷願意提供救助的公民和培養不易的專業人士。也因此,有必要將災難現場視為仍有危

險的暖區有其必要性，即使是前往提供救助，也應該要先檢視環境安全並保持警戒。

（二）心理變化

抵抗敵對國的心理作戰，維持社會的支持，持續堅定抵抗的意志，在現今的作戰型態中是必要的，也因此在戰災時並不建議用「只要撐到第幾天戰爭結束後生活就會恢復了」的思維去做準備。災難中承受心理傷害的並不止於個人，也包括社會的每個群體，其中心理變化則會隨著時間和各個行動者的作為與想望而變動。災難心理的研究通常依此略分成災前、影響、英雄行為、蜜月、失望到重建等六個階段，而這六個階段只有在完整意識到必須要靠自己的心力與意志重建生活才會以復原結束。期待「撐過若干天數就會有人來幫我」的已願他力心態，不僅非常容易淪為持續製造錯誤的期待而不斷失望，也和靠自己力量展開重建生活的行動背道而馳，更可能為敵對國所利用。

▶ **災前階段：**

根據災難類型的不同，社群會發布不同級別的警告。如果沒有任何預警，倖存者可能會更加感到易受傷害、不安全，並擔心未來會發生不可預測的悲劇。

▶ **影響階段：**

災難帶給社區和個人的損失越大，心理影響就越大。人

們通常一開始會對此困惑,及不願相信災難所帶來的破壞,並專注於自己和家人的生存及身心健康,家人若在災難影響期間分處不同處所,在團聚前都會遭受莫大的焦慮。

▶ **英雄行為階段:**

災難發生後,救助和安全變成立即的需求。有些人可能會因為受災後的迷失感使其轉換為情緒激越,並因此展開捨己利人的行動,但此時行動力強但效率卻未必高,評估風險的能力可能因疲勞、傷病受損並導致其受傷。

▶ **蜜月階段:**

災難發生後的數週和數月內,政府和民間團體的支援部署可能開始完整,受災者可能會因為共同求生和互相協助的團體感,而產生短暫的樂觀情緒,並認為這會使他們恢復到原本的生活。

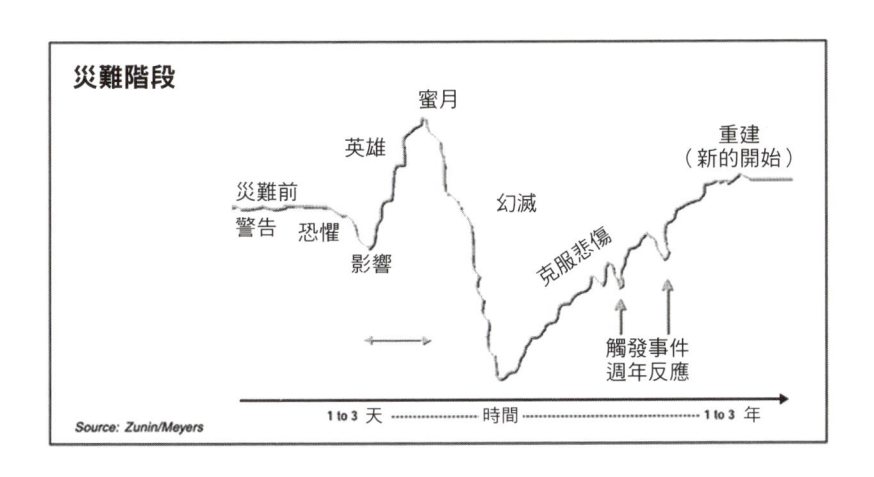

災難階段

Source: Zunin/Meyers

▶ **失望階段：**

災難恢復進度低於原先樂觀的預期而感到失望，便可能觸發這一階段。失望的情緒可能會出現在戰爭發生後的半年、一年等標誌性的時間點。

▶ **重建階段：**

災難發生後，財產的重新規劃和心理健康，可能需要以年為計的時間恢復。此時期的受災者已在相當程度上逐漸意識到，重建自己生活的責任必須靠自己的力量行動。

戰前多準備，本體強就少擔憂，雖然以下這些建議經常被認為是老生常談、會累好麻煩，但所做的一切訓練和調適都會忠實地跟隨著你。即使有時總是不如人意，也請持續試著調整做做看，讓你的心也一起為戰災做準備。

平時就可以做的練習：
- 充足的睡眠
- 養成運動的習慣
- 均衡飲食
- 平衡工作、娛樂與休息
- 接受自己應該、需要接受他人幫助，就像自己在幫助他人一樣
- 跟朋友保持聯絡

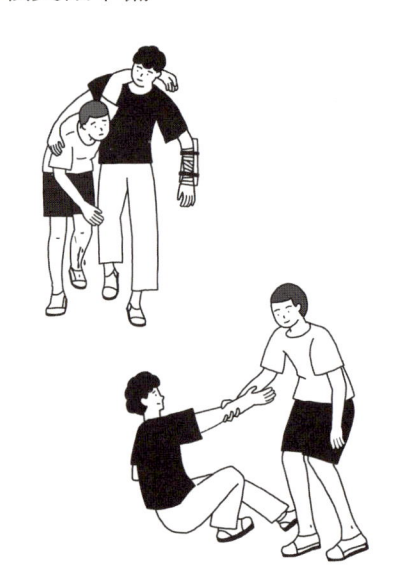

貳　避難以外的行動

　　積極地保持正常生活極其重要,讓社會的各種功能持續運作,同理彼此的為難,確保人力、物力的供需與流動,亦是共同抗敵之所繫。對於不在國家徵召名單的人而言,先求在一定程度上維持日常生活所需,吃飽、穿暖、充足休息等老生常談的生活準則或紀律,其實能在艱困的環境中協助你維持足夠的認知和適應能力。

一　我還可以做什麼?

　　戰爭的人力徵召勢必會造成部分服務、社會機能乃至物力資源的短缺,理解這些必要的不便,並協助更多機能的復原。如果行有餘力,從顧好自己到參與鄰里間的互助活動,甚至到村里辦公室、民防分隊、義警義消的協助,或各在地社團在戰時如教學、煮食、帶小孩等維持社會機能的活動,都會是很大的幫助。

　　由小至大,在力所能及、不勉強的範圍內自助互助,與更多人建立共同生活圈中的歸屬感,這是沒有遭遇災害就可以做的事。即便只是聊天、打招呼等日常或灑掃門前的公共區域,都是有意義的開始,而這種地方社群共同感的建立,即是鄰里、社區安全之所繫。

台灣人的民防必修課：
從台海戰爭到居家避難，一次看懂　應變篇

二 可能遇到哪些事？

（一）政治活動

在地協力者發起輿論戰，呼籲放棄抵抗、「和平」統一。

應對：抵制、杯葛、不要受訪。

（二）資訊滲透

入侵電子告示系統、駭入金融、政府機關，癱瘓網路功能或製造假消息。

應對：保持冷靜、安撫身邊的人。

（三）恐怖攻擊

潛伏的第五縱隊進行滲透破壞，製造社會恐慌。

應對：避免出入人群聚集地點、視情況協助急救、「逃、躲、打」原則。

・054・

（四）遭遇軍隊

遭遇敵軍：迴避、確保安全為前提，安全無虞則伺機拍照回傳，並提供位置、人數、武裝與動態。

遇見我軍：給予支持，不要拍照，也不要在網路上透露我軍的資訊。

（五）撿到武器

不管是輕兵器還是未爆彈，可能是真的也可能是偽裝的詭雷，這些對於非戰鬥人員都是不應也不建議碰的。

應對：不要動它，將位置回報軍警相關單位即可。

三 絕對不要做的事

（一）跑進深山

深山野外除了個人衛生不易維持，在醫療需求上也因為服務和支援皆難以取得，而必須承擔更為耗時艱難的後送風險；在深山一旦受傷或有任何意外，公部門或山友組成的救援隊在戰爭當前的情況下，是否還有進行野外救援的餘裕實未可知；且對

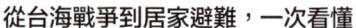

於任何一個生態系而言,其所能供給的熱量有限,即便不斷轉移獵場、採集場,作為該生態系的外來者群體,也未必能長期穩定地得到足夠的熱量供給。

野外避難雖然可能不易遭遇敵方部隊,但也意味著必須克服自然災害和環境所帶來的各種風險,而倘若意外發生,各種服務、支援、補給的提供,皆較久為人居的區域耗時且難以抵達。人力、油料等搜救資源亦將為此消耗甚巨,因此我們並不建議將躲入深山作為可行的避難選項。

(二) 傳播心戰謠言

中國認知戰的勝利在於讓台灣的內部放棄抵抗,甚至欣然接受投降,以及無法或難以取得足夠的外部支援。就輿論操作來說,讓特定政黨或特定人士獲得利益並非認知戰的操作目的,而是藉由製造社會紛爭、極化社會分歧,降低人民對政府、媒體及專業人士的信任,直接打擊人民對民主政體、民主政治的信任與正當性。這類攻擊到了戰前和戰

時,謠言的攻勢必會更加多元多層且精準投放。也因此,包括在戰前預示敵方可能的攻擊手法,如以 DeepFake 的換臉技術建立宣稱政要已流亡國外的假影片,或宣稱從政府內部流出我國政府正在考慮投降或以投降換取私人利益等,將可能出現真假交錯的各種謠言預先呈現,透過日常揭發詐騙手法方式的應用,以便在一定程度上降低中國輿論戰的影響。除了在台灣內部傳播,國際輿論也在認知戰的範圍之內,因此將我國正確的訊息持續翻譯、傳達給國際社會也能提供很大的幫助。同樣的原則到了戰時,則請不要相信投降的訊息,讓政府能專注在作戰;不要讓照片、打卡暴露了自己現在的位置或生活圈,更不要對我軍拍照;收到新的消息先冷靜讀畢,利用政府公開資訊多方查核,並務必避免轉發沒查證過的重要訊息。

(三)私組民兵

即便排除武器取得、後勤補給、訓能、練度等問題都不管,任何不在國家軍事、執法、民防單位指管通情等官方系統下的武裝團體,除了難以辨識、管

制而可能造成友軍誤擊、增加實際作戰單位的風險,在治安上也可能因此帶來社會整體管理的疑慮和爭議,並為滲透入台的第五縱隊武裝活動打開大門。

(四)過度冒險

先自救,再救人。

當你遇到需要幫助的傷者時,請先確認當下自己或同伴是否可能在這個環境中受傷,並確認在施救的過程中,是否持續對可能危及自身安全的狀況做了排除或準備;在確保自己、同行者和其他人的安全,待救援的受害者不會增加時,才是準備好自己動手幫助他人的時候。

救援者應盡力避免成為待救者,在許多災難中我們都能看到在街坊鄰居的熱心中得到救助的案例,但以 1985 年的墨西哥城大地震為例,雖然熱心的志願者在震災中救了 700 人的生命,但這些志願者也有約 100 人為了救援而喪生。避免任何災情擴大都是必要的,尤其是戰爭中迫切需要人力的抵抗和復興。

（五）破壞社會秩序

戰時軍警消人力與工作量勢必吃緊，任何破壞社會秩序的行為都會讓早已過勞的困境雪上加霜。私組民兵、私自認定並抓捕「奸細」，甚至動用私刑等行為，都不應被鼓勵。在戰爭中公民最能有效發揮能力的工作，是在確保自身安全的前提下，繼續上班上課以維持短中長期的社會機能運作，以健全的國家體質作為抵抗作戰的根本。

基礎救護

第二章

壹　安全至上

首先，先顧好自己，不要犧牲。

為救援他人而犧牲，對整體社會的戰力保存非常可惜，有能力幫助別人的救援者，在行動時應以確保自身安全為優先。施救者若在救援時死亡，則救援對象將無法獲救，而救援者也無法在持續需要救援人力的戰爭中救更多人，因此確保自身安全是救援者在行動前最重要的工作。

而所謂確保自身安全，不分平時、戰時，有下列三種：

▶ 環境安全

災害本身或災害衍生的次要災害，都可能對人員造成直接或間接的傷害。

一般公民在戰災中，無論是受災者或救援者，除了必須在現場立即移動或處置的狀況，只有在人力、能力和器材等足以讓現場降溫至安全狀態時，才可以直接處置或停留。若否，則應該先離開危險區域。

環境安全在區域劃分上，以危險和風險程度的高低劃分熱區、暖區、冷區，最危險為熱區，最安全為冷區。

▶ 人身安全

救援者在施救過程中以裝備和程序確保自身安全。

熱區	立刻離開,不要停留,往冷區移動。相較於專業軍隊與執法人員,絕大多數的一般公民並不具備足以支應戰鬥的武器裝具、編制人力和實彈、通聯和實兵作戰能力可識別、指管通聯的可能,因此在戰鬥區域內的公民應儘速離開該區域,避免成為作戰部隊的負擔。
暖區	立刻離開,避免停留,往冷區移動。除非在能確保暫時安全,又適逢「必須」且可以「立即快速」提供救助的狀況,否則仍應以儘速向冷區移動避難為原則。
冷區	可停留,但應留意現場仍有轉換為戰區的可能性。

無論是什麼樣的災難,個人防護裝備(Personal Protective Equipment, PPE)都是可以預先準備的。PPE乃是在救援的過程中,隨時為佩戴者提供保護的防護工具。

在施救的安全程序上,應該把自我保護的行動編入人員訓練的流程中,使「自身安全作為」變成救援的一部分。

常見個人防護裝備
1. 防止體液噴濺 → 手套、口罩、護目鏡、面罩
2. 避免撞擊、碎片噴濺或壓迫 → 安全頭盔
3. 剪除妨礙救護或自身遭到汙染的衣物 → 醫療剪

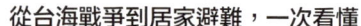

台灣人的民防必修課：從台海戰爭到居家避難，一次看懂　應變篇

若現場可能安全且仍可以移動待救者，則將待救者移動到安全的區域後再行施救。在施救前，須移除被救者身上或周遭可能用來傷人的武器或物品。

▶ **法律安全**

法律上的保障與否可能影響施救者的救援意願

《緊急醫療救護法》第 14-2 條

＊救護人員以外之人，為免除他人生命之急迫危險，使用緊急救護設備或施予急救措施者，適用民法、刑法緊急避難免責之規定。

＊救護人員於非值勤期間，前項規定亦適用之。

在台灣目前的法律框架下，能救就救，不用擔心。

立法院於 2012 年 12 月 25 日通過增訂《緊急醫療救護法》第 14-2 條。當時是以心肺功能停止或無正常心跳者的搶救時效，對患者存活乃至腦部保護有利益存在，為了避免民眾對民事、刑事責任的誤解或顧慮，以及救護人員在執行

業務與善行義舉間有所爭議,影響協助施救的意願,因此明訂新增第 14-2 條。

而其立法效果也使非救護人員以及非值勤之救護人員,在搶救病患的過程中所造成的傷害,亦適用緊急避難的相關規定,可謂台灣版的「善良的撒馬利亞人法」(Good Samaritan law),該法於隔年(2013)一月生效。

貳 你我都可以是「第一反應員」(First Responder)

相較於各種特定項目的訓練,我們更推薦公民直接接受正規醫療體系的初級緊急救護員 (EMT1) 訓練作為基礎,再去補其他分化的專項訓練,比起急就章地蒐集由非專業醫療團隊或非相關訓練合格師資的各式超短期訓練證照,讓自己知道在各種狀況的動作理由,反而更能理解其他訓練,並自主進行更妥適的練習。養成的能力也可以在災難時,讓你在心理上能夠穩定地執行自救或互救。

▶ **救你能救的人**

醫療資源和傷者時間都有限,如果你和家人安全,那麼如何在有限範圍內救最多的人,就會是最優先的考量;大量傷患的現場救援,應避免將太多時間用在明顯死亡或輕傷的人身上。

▶ **受過訓練的現場公民就是第一反應員**

災難發生後，政府的支援抵達前，你就是現場能最快提供救助並確認現場安全的人。如果可以，馬上和周遭的人合作，進行指揮、救援、記錄或協助疏散，待支援人力進場後交接。傷患的時間和專業人力的心力、資源都有限，公民支援大量傷病患的檢傷分類及處置後交接，能舒緩專業支援人力的負擔。

參 傷病判斷

一 檢傷分類

大量傷病患檢傷分類，傷患嚴重程度分別以黑、紅、黃、綠色做標記。

黑色	⇒	死亡
紅色	⇒	極危險
黃色	⇒	危險
綠色	⇒	輕傷

未受過救護訓練的公民，可以在安全的前提下，協助引導綠色傷情的輕傷者撤出現場或提供其他幫助。受過訓練的

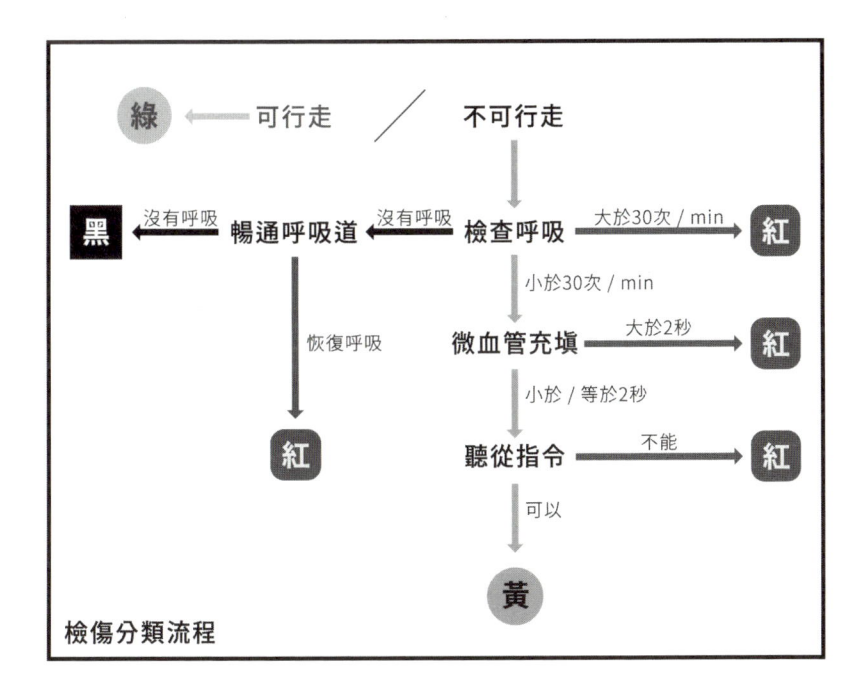

```
綠 ← 可行走 / 不可行走
                              ↓
黑 ←沒有呼吸─ 暢通呼吸道 ←沒有呼吸─ 檢查呼吸 ─大於30次/min→ 紅
                ↓                    ↓
              恢復呼吸            小於30次/min
                ↓                    ↓
                紅               微血管充填 ─大於2秒→ 紅
                                     ↓
                                小於/等於2秒
                                     ↓
                                  聽從指令 ─不能→ 紅
                                     ↓
                                    可以
                                     ↓
                                     黃
```

檢傷分類流程

公民則在專業人力抵達前後，提供緊急醫療協助，讓專業的軍警消救護，可以在抵達後專心於傷情危急的患者。

▶ **第一反應員處置**

在支援的專業人員到達前，辨識傷病患疾病的嚴重程度或受傷的情形，並評估患者是否需要緊急醫療照護。若情況許可，則提供因大失血、呼吸道、通氣及循環等問題，而導致危及生命的患者適當之緊急醫療照護。

▶ **第一反應員交接**

發生過程及經過、大略的傷患人數、發生時間、發生地

點、以及現場有無危害物質等。

如有對患者進行醫療處置與照顧，則應確實地交接處置內容，以利後續專業醫療人員接手。

二 傷患搬運

▶ 從必要性開始

生命法益優先於身體法益，為了確保傷患的生命安全，若當下傷患留在該環境可能更危險，或為了能夠處置傷情、後送，就需要在進行防護措施後搬運傷患。在確保自身安全的前提下，將仍處於可能再次受傷風險環境中的傷患搬離，亦需要留意因搬運造成的二次傷害。

▶ 避免二次傷害

最容易產生二次傷害的創傷包括脊椎損傷和骨折，在移動時，患者因移動的行為而使血管、神經、周邊組織再次受創。通常若車禍等各種高速撞擊、脊椎受到與其平行方向的軸向壓迫或撞擊、患者自其身高兩倍的高度墜落等狀況，保險起見可將其視為脊椎有受傷的可能。應先確認脊椎及四肢末梢感覺，是否正常可以活動，而骨折以骨頭是否受到破壞或變形為準。一般來說，為了避免二次傷害，會要求務必盡可能固定後才進行移動；若施作固定、包紮等作為會使傷者、施救者產生追加的危險或生命威脅，則是回歸以生命安全為優先考量，將移動優先於固定，直接搬運。

搬運法有許多種，視需求選擇使用。

攙扶法

適用於清醒、傷情輕微之傷病患。

優點是省力，但移動較慢。

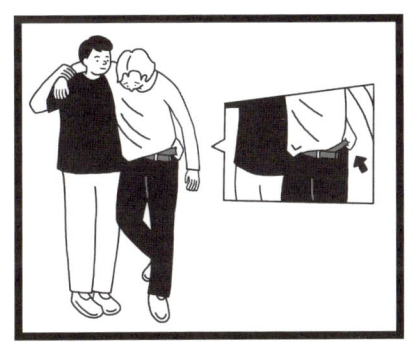

1. 操作者站立於傷者之傷側。
2. 將傷側上肢繞過操作者頸部，並抓住傷患的手腕。
3. 另一隻手繞過傷病患的背後，並抓住其褲頭或皮帶。

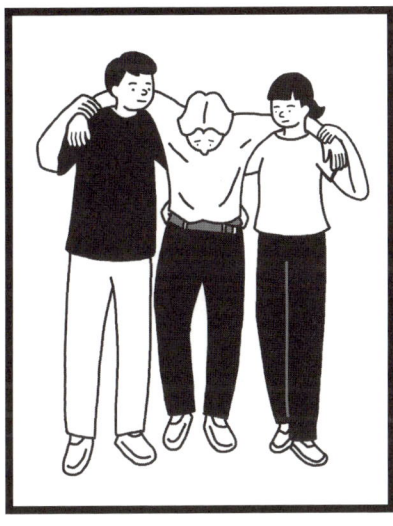

台灣人的民防必修課：
從台海戰爭到居家避難，一次看懂

應變篇

背負法

適用於老幼、體輕且須快速移動的傷病患。

優點是移動速度較快，但比較費力。

1. 操作者背朝向傷病患蹲下。
2. 讓傷病患雙臂從操作者肩上伸到胸前，確認患者腋下緊靠操作者肩上。
3. 操作者兩手緊握傷病患對側手腕，再緩慢穩定地站定。

肢端搬運法

適用於老幼、體輕，且需要快速搬運的傷病患。

優點是省力且穩定，但須兩人才可以使用。

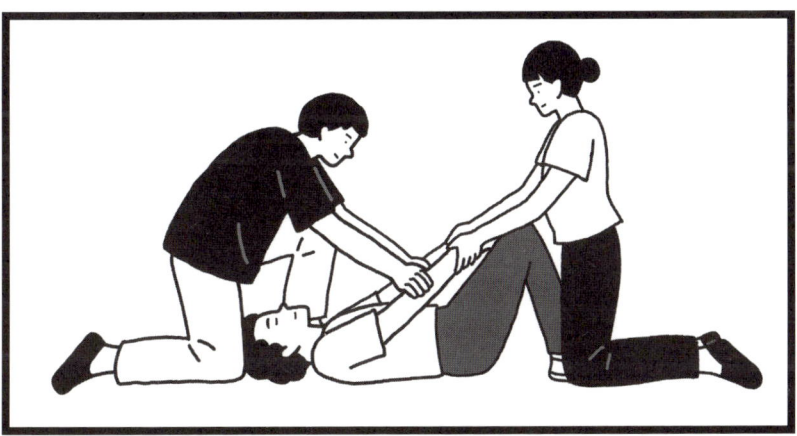

1. 主手立於傷患頭部，副手立於腳部。
2. 副手將傷患屈膝後，跪下以膝蓋抵住傷患雙腳避免其滑落，並抓住其雙手。

常見錯誤 ✗

副手抓握傷患雙手時要保持張力，避免迅速扯動造成傷患肩膀受傷。

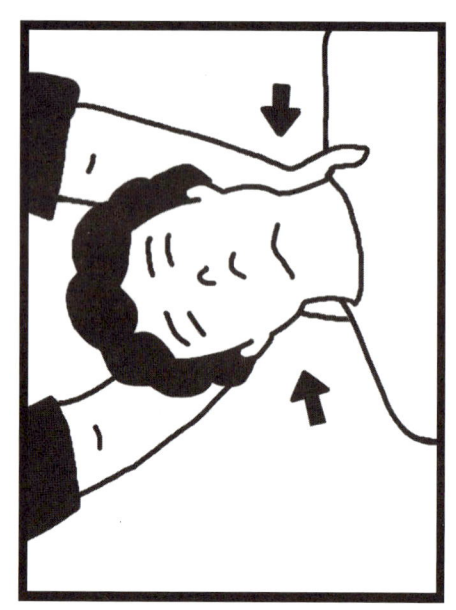

台灣人的民防必修課：
從台海戰爭到居家避難，一次看懂　應變篇

3. 主手保護傷患頭頸部，並發號口令，主副手一推一拉，將傷患調整至坐姿。

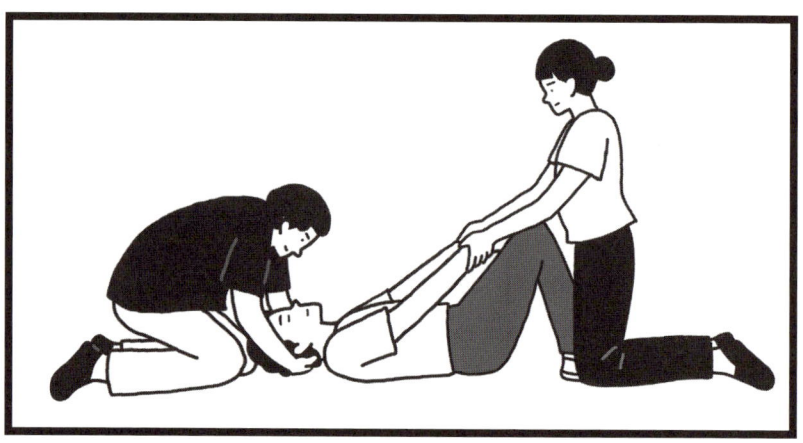

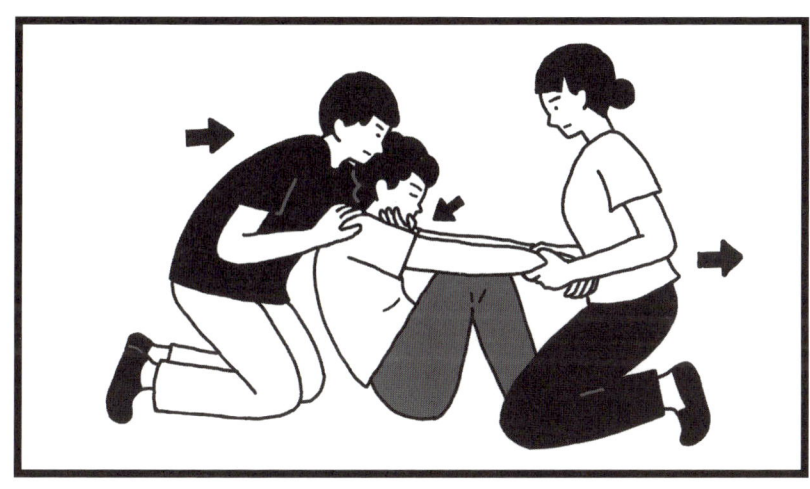

4. 將傷患調整至坐姿,主手迅速靠近傷患,抵住其軀幹避免滑落。
5. 主手兩手從傷患腋下穿過,交叉抓住傷患的手腕,並將傷患的手臂扣在其軀幹上。

台灣人的民防必修課：
從台海戰爭到居家避難，一次看懂

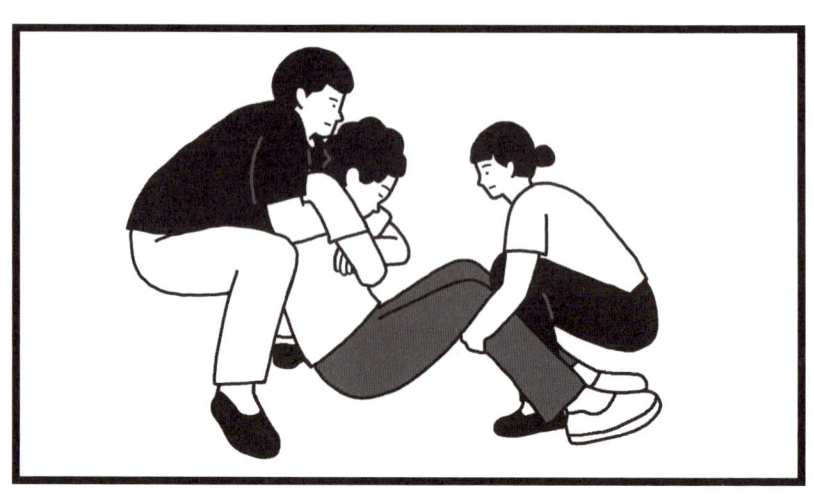

應變篇

6. 副手將傷患兩腿分開，抓握其膝窩後方。

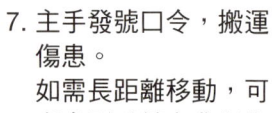

7. 主手發號口令，搬運傷患。
如需長距離移動，可考慮副手轉身背對傷患，兩名操作者副手在前主手在後，讓患者面向前方移動。

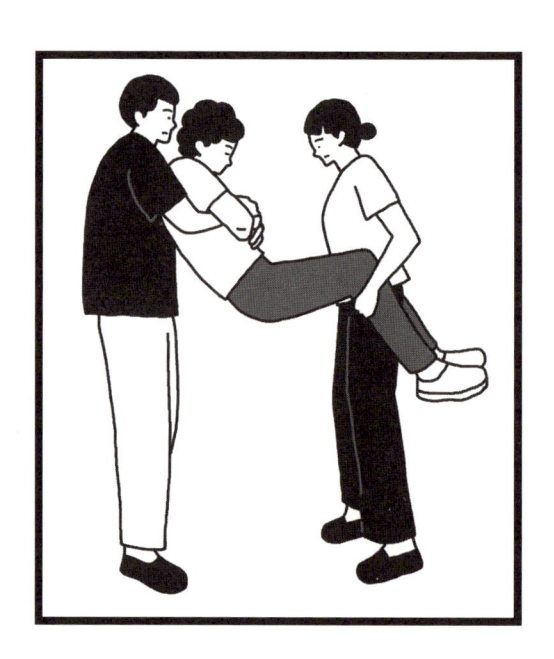

常見錯誤 ❌

傷患的手沒有扣住其軀幹，搬運時容易滑落。

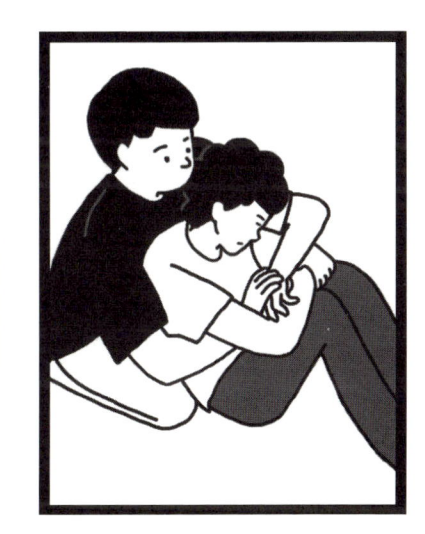

MEMO

1. 勿彎腰駝背，可事先練習深蹲。
2. 注意若腳跟懸空，起立時重心容易往後倒。站穩即可！
3. 上下樓梯或上下坡時，應使患者維持頭上腳下的方式移動。

第二章 基礎救護

台灣人的民防必修課： 從台海戰爭到居家避難，一次看懂　應變篇

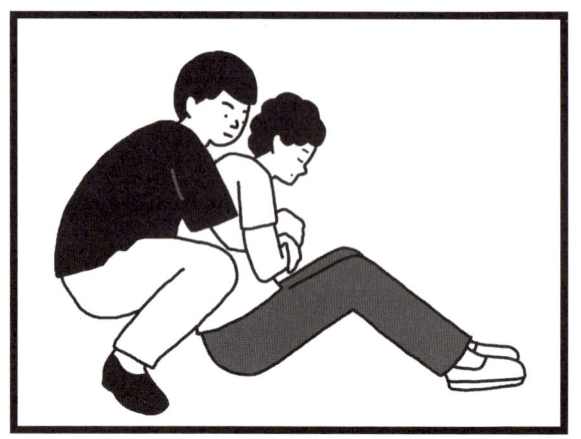

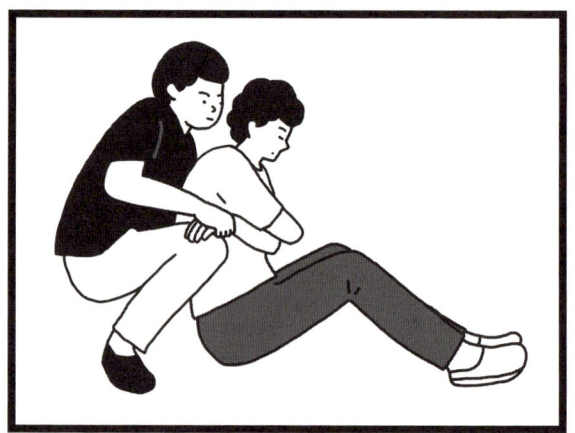

注意：主手的雙手應盡量伸進傷者胸前固定患者的手及前臂，搬運時更為省力。

常見錯誤 ✗

主手的雙手並未從腋下伸入傷者胸前。（注意主手的手肘位置。）

三 常見環境急症

人體暴露在不同環境裡，若疲於覺察或疏於照顧自己，有時就會面臨該環境對人體造成的急症（環境急症）。

例如，水際、潛水時所可能遇到的溺水、壓力傷害，或是在高海拔區域有機會遭遇到的各種高山症，都是人體在特殊環境活動時，身體不及或難以應對該環境所造成的影響所產生的急症。而這些急症最常見的，是基於低溫和高溫環境的適應所產生的「失溫」和「熱傷害」。

人體為了維持細胞代謝的平衡，使體溫恆常穩定維持在 37°C 左右，便會藉由調節熱產生 (Thermogenesis) 與熱散失 (Thermolysis) 的機轉，來對應環境溫度的變化。

當環境溫度降低時，身體為了維持恆定的中心體溫，會透過包括發抖、飢餓、收縮周邊血管等方式，調節熱產生和熱散失；當環境溫度升高時，身體則會透過微血管擴張、發汗，來增加熱散失以及減少自主活動和食慾等方式，來降低熱產生，進而達成調節自身體溫的目的。

⚠ 低體溫（失溫）

中心體溫小於 35°C 即可判定為低體溫，常見的發生原因是在寒冷天氣並暴露於冷的環境中所致。輕度低體溫的臨床表徵是意識清醒及發抖，進入到中級時則開始意識不清但

停止發抖；若是可以的話，在輕度階段就應將患者移動至溫暖處，蓋上保暖的毛毯、救生毯。

若患者的衣物是濕的，應儘速換成乾衣服，意識正常的話亦可以給予含糖的溫飲等被動回溫的處置。低體溫亦有可能是因外傷、罹病、中毒或感染等導致，因此如果人員有顯著的外傷或已知生病，則直接給予主動體外回溫的處置。

若未能儘早察覺自己或發現夥伴的低體溫症，以致雖然身體停止發抖但開始有意識不清的症狀時，就該進行被動和主動的體外回溫。除了前述之處置，加上暖爐、烤燈、暖暖包或溫的熱水袋等都是可行的。由於此時過熱、過快的回溫方式和患者本身的活動，都有機會引發心律不整，因此反而不應過於急切地讓患者恢復。也因為施救者也與患者一樣處於低溫環境，所以亦需要留意環境對自己在現場安全的影響。

⚠ 熱傷害

體溫過高和熱病的主因有：1. 環境溫度超出體溫調節範圍。2. 體溫調節中樞失效。

▶ 熱暈厥

常見成因：在熱環境中久站或坐、躺，突然起身時發生，其主要原因為靜脈血液滯留於下肢或脫水所致。

基本處置：坐或躺在陰涼處並補充水分。

▶ **熱痙攣**

常見成因：大量流汗導致鈉與水的流失。

基本處置：應將患者由熱環境中移開，抽筋的肌肉局部降溫，給予補充鈉及水分。

▶ **熱衰竭**

常見成因：在熱環境中大量出汗，且水分及電解質未及補充，使中心體溫升高。

基本處置：快速將患者由熱源移開，並補充電解質液。應儘早積極處置，避免惡化成中暑。

▶ **中暑**

常見成因：高溫高濕環境，熱產生大幅超過熱耐受能力，或熱散失速度破壞體溫調節機制，使體溫過度升高進而造成中樞神經異常。其中又因為發生原因不同，而可分為傳統型中暑 (Classic Heat Stroke, CHS) 和勞動型中暑 (Exertional Heat Stroke, EHS)。

傳統型中暑：常發生於溫度調節系統發育不全的嬰幼兒或體溫調節能力相對較弱的老年人，部分慢性病及藥物會影響患者的熱耐受能力，而使患者更容易中暑。

勞動型中暑：多發生在高溫高濕環境中的運動者或勞動者，因激烈運動、護具穿戴或職業勞動，使身體快速發熱並大幅超過身體的散熱速度。

基本處置：將患者移到陰涼處，用冷水、濕布協助患

自我檢測中暑相關症狀表

症狀	有	沒有
頭昏？頭痛？		
虛弱？口乾？		
肌肉痛、肌肉痙攣		
嘔吐？嘔吐 2 次以上？		
反應變慢、渾身虛弱不對勁？		
皮膚燙、體溫高？		
失去意識超過 1 分鐘？		

資料來源：衛福部國民健康署網站

者降低體溫，盡可能脫除患者非必要的衣物鞋襪並送醫。如病人的轉送必須延遲時，可將病人全身泡在冷水中或灑在全身；但應避免使用冰水，以避免患者因發抖、抽筋和周邊血管收縮，使中心體溫不減反增。

肆 簡易創傷處置

一 常備藥品與敷料

▶ **常用藥品**

這些藥物的主要功能在清理傷口、消毒殺菌，以防傷口

感染。

生理食鹽水：最常用於清理傷口表面，因為與人體的滲透壓相同，清理傷口時刺激較小；只是並沒有殺菌能力。如果是沒有感染風險的乾淨傷口，直接用生理食鹽水沖洗或自傷口中心由內向外清潔即可；而在難以取得生理食鹽水的環境，使用乾淨的飲用水直接對傷口進行清創也可行。

優碘：適用於可能被汙染的傷口，特點是消毒能力強，但也因此可能會殺傷自體細胞造成傷口癒合較慢，另外也容易沾黏敷料；若以沖洗方式清創時，建議將其稀釋至1%濃度再使用；如果可以，清創完畢後可再使用生理食鹽水或飲用水沖洗乾淨，以降低其影響。

▶ **在稍有餘裕時，如何保留較乾淨的用水？**

在居家避難或不確定水源能否得到補給的外出避難時，只要能把儲水和飲水功能區分開來，就能夠持續保有相對乾淨的水源。

狀態	儲水	用水
在家	水壺	水杯
外出	水壺、水袋	小型水壺、水袋

長時間外出時除了背包中間靠體側的大水壺或水袋外，也可以在腰間掛帶小型的水袋或水壺，喝完就進行補充，如

此不只方便取用，也更容易計算自己的用水量。

▶ **常用敷料**

敷料的功能是減少傷口受外界刺激、降低感染機率、吸收滲液與保持傷口濕潤；某些特定敷料也有促進凝血或傷口恢復的功能。

無菌紗布：有 2×2 到 4×4 等各種尺寸，接觸傷口應是滅菌的，可用生理食鹽水浸濕成濕紗布，對傷口進行清創或覆蓋。

油性紗布：無菌紗布浸過凡士林或其他類油性物質，可防止敷料與傷口沾黏。

特殊紗布：其上有促進止血、皮膚癒合、抗生素等物質。

其他：緊急情況下也可使用乾淨毛巾、衣服等代替敷料，避免使用衛生紙以免棉絮殘留。

▶ **常用繃帶**

繃帶的功能是固定敷料或夾板、提供傷口持續性壓力、保護傷口；某些特定繃帶也結合止血敷料，提高操作的速度與便利性。

三角巾：使用範圍廣、使用快速且取材方便，通常是呈三角形使用，必要時也可以摺疊成長條形使用。

紗捲：為一捲軸狀似紗布之無彈性繃帶。

彈紗：為一捲軸狀似紗布之彈性繃帶，其通風性如一般紗布。

彈繃：具有較高彈力之捲軸狀彈性繃帶，通風性較差。

特殊自黏繃帶：自黏性的，有彈性及非彈性之分，可以片狀或捲狀將敷料纏住緊貼固定在傷口上。

二 簡易創傷處置

（一）傷口與水泡

如果出現小傷口，應該先使用生理食鹽水或飲用水，將傷口與周遭沖洗乾淨，並使用無菌紗布覆蓋並將其固定。如果是受到汙染的傷口，可以先用優碘溶液清創至無可見的汙物（如泥沙、木屑等）後，再用生理食鹽水或飲用水沖洗乾淨。

另外，因為濕潤的環境可以幫助傷口修復、加速癒合，使用親水性敷料（人工皮）效果會更好，但是當傷口過大、深度較深或是有感染疑慮而需要塗抹抗生素軟膏的傷口，就不建議使用人工皮。另外，如果傷口穿透筋膜、壞死或已受高度感染，甚至是受到動物咬傷，都應該儘速就醫求助。

▶ **水泡**

水泡的產生是由於摩擦、熱力或化學刺激等因素引起，當皮膚遭受這些刺激，會導致表皮與真皮之間的組織層分離，形成充滿液體的小囊，也就是水泡。

摩擦：長時間或重複的摩擦會導致皮膚表層的組織損傷，通常發生在擦傷、磨損或穿著不合適的鞋子時。

熱力：過熱的表面或液體接觸皮膚會導致燙傷，進而引發水泡，這種情況常見於燒燙傷等。

化學刺激：某些腐蝕性物質、化學清潔劑或刺激性藥物，也可能會對皮膚造成損害導致水泡產生。

疾病：某些疾病或皮膚病，如天皰瘡、皰疹等，也會引起水泡產生。

▶ 水泡的處置

不要輕易戳破水泡。沒有受到汙染的完整水泡的皮膚仍有保護傷口的能力，但若會影響到身體功能或干擾行動的水泡（如關節處、與鞋子接觸處）則可以考慮戳破。破掉的水泡就等同於傷口，應予以清創並覆蓋人工敷料。若傷口出現感染或有死肉焦痂存在，應使用局部抗菌藥品。

（二）穿刺傷

銳器或物體包括刀械、玻璃、碎石、破片、子彈等，因各種原因產生動能，刺入身體所造成的傷害，穿刺傷的危險程度視受傷位置和動能大小而定。動能小則穿刺不深，風險雖仍要視位置而定，但基本較不用擔心；動能大的穿刺傷如子彈等可能在體內形成空腔，或因穿刺物的動能擊中骨頭，使動能在體內釋放而有相當的危險性。受傷位置常是穿刺傷嚴重程度與處置的關鍵，若受傷位置未傷及大血管，僅傷及皮膚，則可將刺入物取出並進行清創等創傷處置；反之若傷

腳部示範

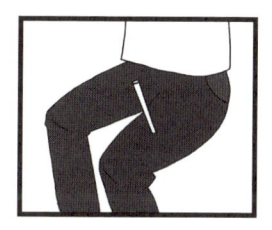

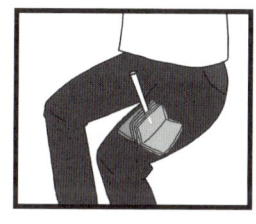

以紗布塊夾住穿刺物後,使用彈繃固定傷處。

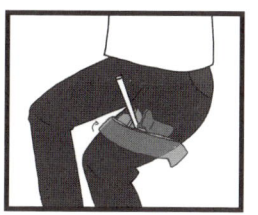

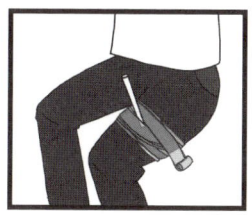

及頭頸、軀幹的臟器骨骼,或懷疑可能傷及大血管,則是將其固定,避免穿刺物繼續刺入或晃動,並儘速尋求醫療資源的協助。

(三)壓砸傷

壓砸傷是因強烈擠壓所造成,嚴重程度受到部位、壓力和壓迫時間影響。如果只是機車倒塌、家具壓傷等輕度且時間不長的傷害,直接依傷情處置即可;若為房屋倒塌、土石掩埋等,四至六小時後才被發現,則有可能產生壓碎傷症候群。在壓碎傷的狀況下,傷患或許已經在受壓迫的狀態存活數天,但卻可能在重物被移除的數分鐘內死亡,其原因包括:

1. 組織液與體液流出血管與組織，造成灌流不足而低血容休克。2. 橫紋肌溶解造成的腎功能衰竭。3. 一連串因組織傷害與無氧代謝造成代謝異常導致的心律不整。是以若遭遇此類狀況，即便確認環境安全也不應立即將其救出，而是先確認其位置並通報緊急救護人員處置。

> **MEMO**
> 千萬不要直接挖出來，若緊急需挖出來，請先施打止血帶，避免肢端體液回流體內後，再將受困者挖出。

（四）骨折

在確保自身安全的前提下，傷患有緊急的生命危險便應以救命為優先（如傷患身處燃燒中的車輛），將傷患先移到安全的地方才進行固定或其他處置。

如果需要進行固定並且送醫，原則上不要貿然調整傷處，以原姿勢做夾板固定，理想的器材是軟式護木，若無法取得，也可以使用木板、登山杖等物品充當急造的固定工具，其長度需要超過傷處相鄰的前後兩個關節，使骨折處無法運動與減少位移。

固定板

1. 首先評估傷肢遠端脈搏、感覺、運動功能。
2. 取得超過傷肢前後關節之固定板，以彈繃或三角巾將傷肢固定於支撐物。
3. 再次評估傷肢遠端脈搏、感覺、運動功能。

台灣人的民防必修課： 從台海戰爭到居家避難，一次看懂　應變篇

懸臂吊帶

1. 將三角巾置於沒受傷的那側（健側）肩膀，頂角朝向傷肢。  
2. 拉起三角巾另一底角，蓋過傷側肩膀，將傷肢放在三角巾中間。
3. 調整傷肢位置，手掌略高於手肘，並讓手指露出以利後續檢查末梢。 
4. 於健側肩膀打平結。
5. 若以急造工具固定或後送就醫需時甚長，則可適當以衣物填充固定工具與傷肢間的接觸部位，藉由分散壓力來增加患者的舒適度，降低因傷處不適的躁動帶來的傷害。

三 大量失血

大出血被認為是「可挽救的死亡」，只需要簡易的處置，就有極高機率救人一命，因此現在各國都將其視作全民急救推廣的重點之一。

人體血液約占體重的 1/13，也就是說一位 65kg 成人約有 5,000 c.c. 血量，如果失血量達到血液總重的一定比例，就會出現心率上升、血壓下降、意識狀態改變等徵象。

當失血量上升，傷患會出現各種徵象的改變，其中又以心跳加速、意識錯亂、不清和呼吸加速最為明顯，在沒有儀器量測時，可以透過這三項指標，快速辨認傷者的失血程度。

大出血死亡三角

當人體失血量增加，就會逐漸出現以下三種症狀：

失溫：若因失血導致體溫低於 36°C 將造成心臟傳導受影響，若低於 28°C 心臟會開始不規則跳動、心肌收縮降低。

酸血：低灌流及低血氧造成血液酸化，並讓心臟收縮降低、減少凝血功能。

凝血異常：體內凝血因子隨著出血被消耗，最後無法自然止血。

台灣人的民防必修課：
從台海戰爭到居家避難，一次看懂 應變篇

若因失血導致體溫低於 36℃將造成心臟傳導受影響，若低於 28℃心跳會開始不規則跳動、心肌收縮降低。

失溫

體內凝血因子隨著出血被消耗，最後無法自然止血。

低灌流及低血氧造成血液酸化，並讓心臟收縮降低、減少凝血功能。

凝血異常   **酸血**

其中，酸血與凝血異常都是後送後才能進行處置，而協助傷患進行保暖卻是人人都可以做得到的，簡單的動作就有機會提升傷者的存活率。

另外，也應分辨出血的類型，分別是微血管出血、靜脈出血與動脈出血，傷口與出血的表現有以下差別。

微血管出血	血液從傷口滲出，出血量少，危險性較小。 在傷口蓋上紗布即可止血，一般的 OK 繃也可以派上用場。
靜脈出血	血色暗紅，血流量緩慢。 一般來說將傷處抬高即可減少流血，在傷口蓋上紗布並加壓、包紮即可止血。
動脈出血	血色鮮紅，血液呈搏動性噴出，出血量多，速度快，危險性大。 一般會使用大量紗布加壓、填塞止血，或使用止血帶。並需要注意病患意識狀態，保溫、儘快後送。

（一）止血的重要性

對於戰鬥人員或遭戰鬥波及的民眾來說，大出血恐怕是最為危險致命的狀況，因此隨著全民國防教育的需求慢慢升高，創傷止血的技能也逐漸被視為是無論軍民，都建議學會的醫療技術。

一般來說，止血方式種類繁多，而對一般民眾較親近友善的止血方式，基本都不脫對出血血管進行加壓處置，下面將初步介紹最常見且較有機會學會跟熟練的三種止血法：

1. 直接加壓止血法
2. 止血帶止血法
3. 傷口填塞止血法

2024 年衛福部委由厚生基金會辦理的「韌性台灣：全民急救訓練」邀集了：秀傳醫院、安妮怎麼了、旺英基金會、中華民國紅十字會、中華緊急救護員協會、中華民國急救教育推廣協會等單位，除了提供 CPR 的訓練外，亦有這三種止血法的公民止血訓練課程。因此也希望各位在讀完本文對止血有了初步概念後，能夠參與上述正規醫療教育單位的教學課程。

此外，若是仍行有餘力，或是還希望多做些什麼準備，我們會建議大家與能夠核發緊急救護員證照 (EMT) 的正規

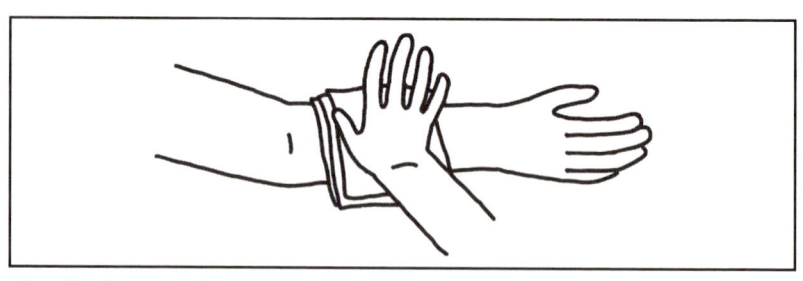

使用敷料對傷口處進行加壓動作為有效且常用的方式，使用指端或掌根在傷口上直接施加壓力。

緊急救護訓練單位取得急救員資格，或在擁有急救能力之後仍願意持續進修，參與專門的野外或其他領域的醫療訓練。直接進行正規而完整的訓練才是建立能力的捷徑，在還有點時間餘裕的現在，擁有知道在危險時何以作為或不作為的能力，才是累積社會韌性種子能量的方式。讓自己成為種子，在必要時才有能力帶領更多人保護彼此。

（二）止血法
▶ 直接加壓止血法

如果傷患失血，應該儘速使用敷料對傷口處加壓，使用指端或掌根在傷口上直接施加壓力，此動作是有效且常用的方式。加壓止血時，比較常見的敷料是滅菌紗布，但若無法取得，也可以用乾淨的毛巾、衣物代替應急。如果敷料被滲濕，不要移除初始敷料，而是繼續加上新的敷料並持續加壓，以免將傷口與初始敷料間形成的血塊移除，而造成新的

止血帶亦是常用之止血法。

出血，若需要持續對傷口產生一定程度的止血壓力，亦可使用俗稱以色列繃帶的加壓止血繃帶處置。一般來說，加壓超過 5 分鐘後出血多會有所緩解，但如果出血量大，可能需要繼續加壓至 10 分鐘，如果加壓無法止血，便要考慮兼用其他的止血法，例如止血帶止血法。

▶ **止血處置—彈繃包紮**

大多數的出血會在直接加壓後的 5 分鐘左右緩解，接著可以使用彈性繃帶固定敷料以達到持續加壓的效果。

以下是一些進行彈繃包紮時要注意的事項：

1. 包紮四肢時應盡可能露出肢體末梢，以便隨時觀察肢體末梢血液循環的情形有無冷、腫、發紺等狀況，以及患者主訴有麻木感或末梢動作受阻。如果發生這些狀況，很可能表示包得太緊，需要重新包紮。
2. 盡可能在操作中保持衛生，避免繃帶受地面土砂等環

境所汙染。
3. 包紮完畢,將繃帶卷放入上一圈內進行固定,也可以用打結或用膠布固定,以免滑落。使用膠布做固定時,不可貼在已受傷之皮膚上,如燒傷之皮膚,以免造成再次傷害。
4. 不可在傷處、關節、骨突、肢體內下側,或不易看到的地方打結,盡可能在肢體外側打結,以避免摩擦。

定帶

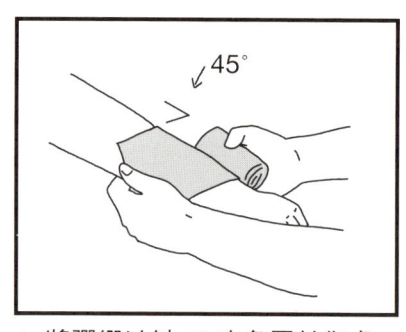

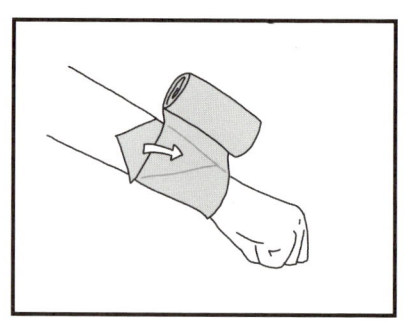

1. 將彈繃以斜 45 度角置於傷處。
2. 摺起繃帶之一角,並將折角蓋於內進行纏繞。 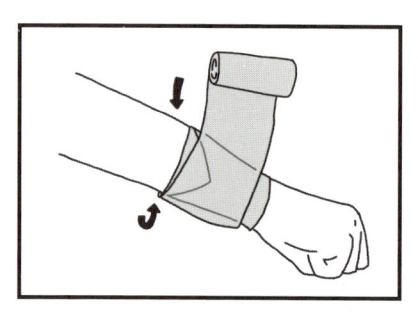

環狀包紮

持續於同一處進行纏繞。

收帶

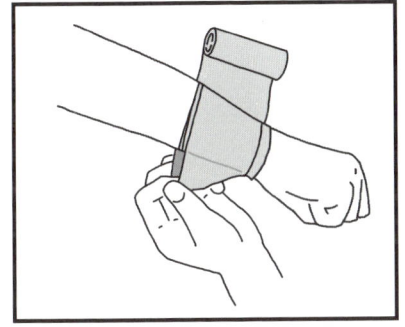

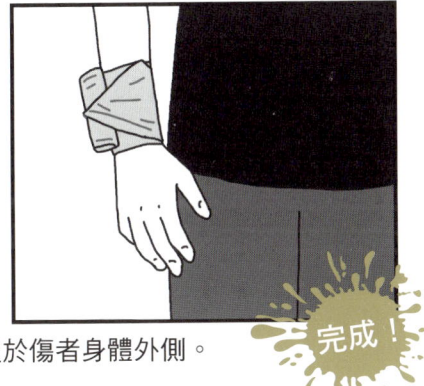

將繃帶卷收入最後一圈,最好是置於傷者身體外側。

完成！

NG!

常見錯誤

繃帶卷置於在身體內容易因傷者動作導致鬆脫。

第二章 基礎救護

| 台灣人的民防必修課： 從台海戰爭到居家避難，一次看懂 | 應變篇 |

螺旋包紮

適用於大而長的傷口，定帶完成後，由遠心端往近心端纏繞，每一圈需覆蓋上一圈至少 1/2 左右。餘下的收帶動作與環狀包紮相同。

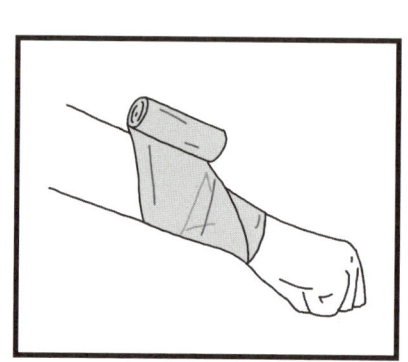

完成！

常見錯誤
✗ 定帶未完成就往上纏繞。

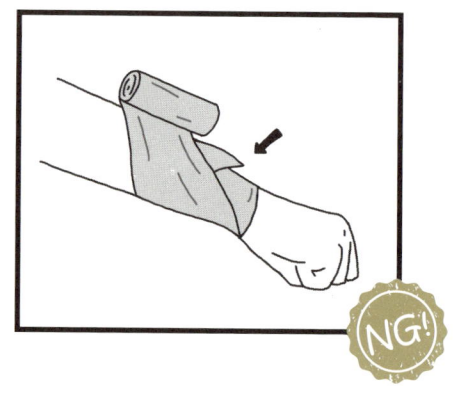

NG!

・096・

止血處置―加壓止血繃帶

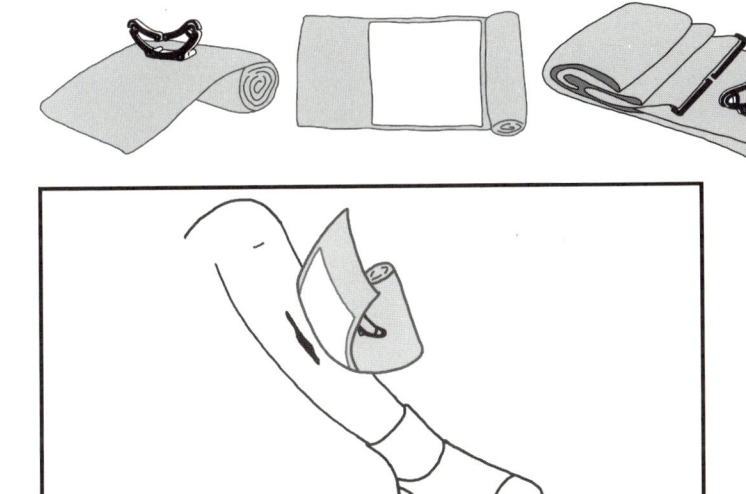

將繃帶放在傷肢上,白色敷料對準傷口。

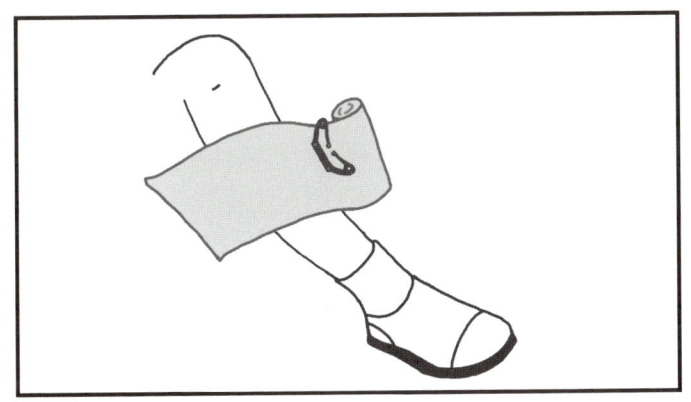

將繃帶穿過加壓環並反折。

第二章 基礎救護

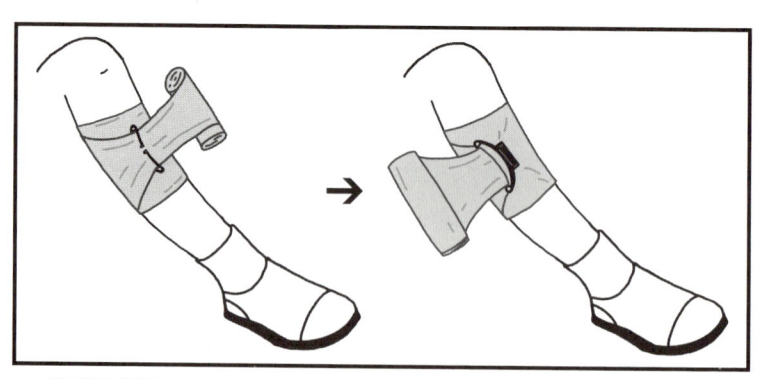

台灣人的民防必修課：
從台海戰爭到居家避難，一次看懂　應變篇

持續纏繞繃帶。

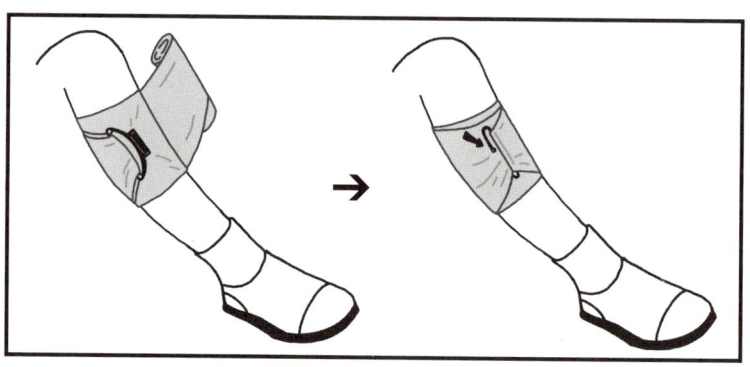

使用掛鉤固定在繃帶上。

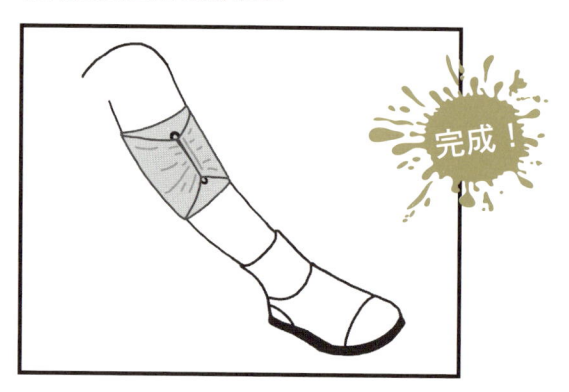

完成！

▶ 止血帶止血法

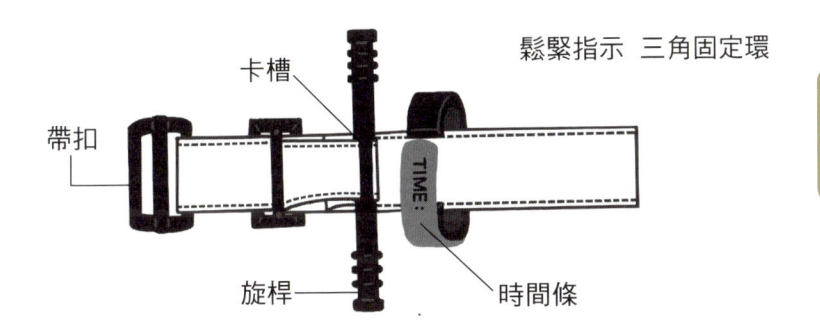

鬆緊指示　三角固定環
卡槽
帶扣
TIME:
旋桿　　　　時間條

　　止血帶作為一項止血利器，近年來，各國急救系統與戰術單位對止血帶的使用與引入轉趨積極。

　　止血帶有幾項優點，首先，止血效果卓越，能將肢端血液完全阻斷，如此將可以處理加壓止血無法處理的失血傷勢；再來，只要經過一定的訓練，就能在三十秒內完成止血；並且可以單手使用，意味著如果自己單手受了嚴重的傷勢，也可以自行止血。

　　不過止血帶也有一些先天限制，首先，因為大多是透過套索狀的尼龍帶與旋桿加壓，因此只能使用於四肢出血（雖然也有交界處止血帶，但其太貴又不常見，故不做討論）；其次，因為它施加的壓力非常巨大，帶體和部件在承受一次使用後其堅實度可能會受到影響，也因此止血帶應以一次性使用為原則。

目前市面上合法販售的止血帶包括 CAT (Combat Application Tourniquet)、SOFTT (SOF Tactical Tourniquet，簡稱 SOF) 和 SAM XT 等，三種止血帶均可用於緊急止血使用，以下將介紹較常見的 CAT 和 SOF 止血帶。

CAT 的主要結構為魔鬼氈設計，尼龍材質的止血帶及塑鋼材質的旋桿，操作較為直覺，學習難易度適中，但旋桿塑鋼材質，相對較易脆化受損，可能導致使用時被扭斷；魔鬼氈浸染泥水後沾黏固定的能力也可能會受影響。

SOF 結構與 CAT 類似，但止血帶寬度較寬，且除了 C 型固定扣環，還多了專利的三角形固定扣環；帶身也較長，緊急且無適當醫材時可用於骨盆固定的應急使用，同時 SOF 旋桿為高強度鋁合金材質，以及利用日字環與帶體的摩擦力固定，使其旋桿和緊束能力較不受日照、塵泥的影響。

每一種止血帶其實沒有優劣之別，只要注意思考如何符合自己設想的需求，並購買有原廠保證的產品，同時勤於練習、讓技術上手即可。

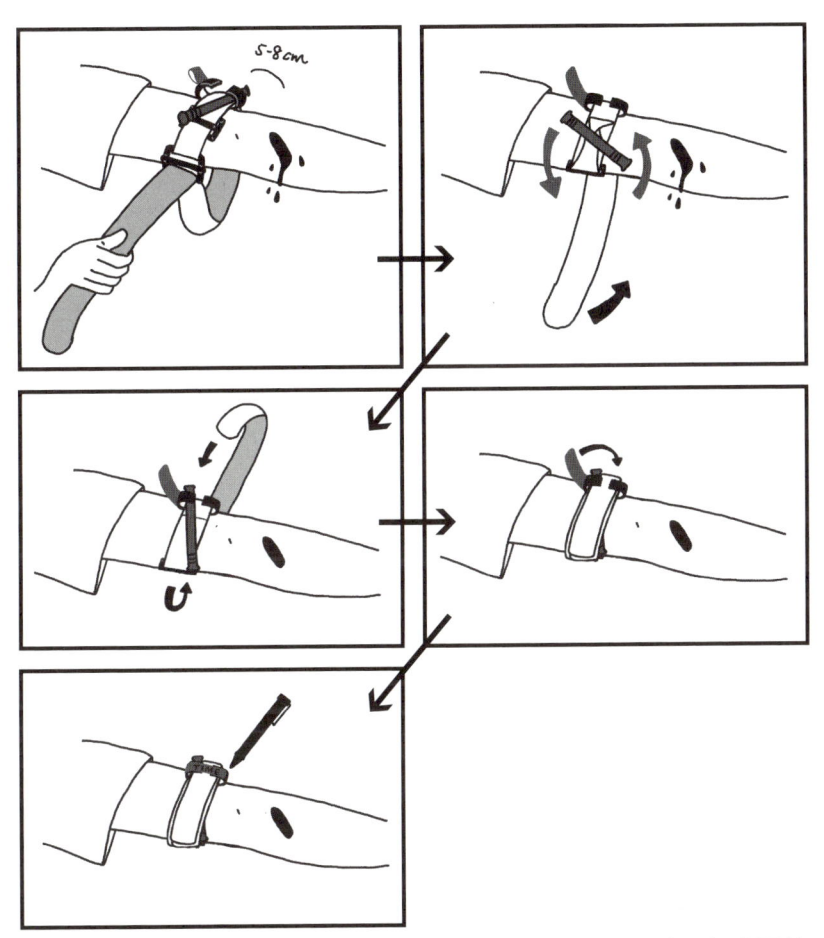

1. 若無法立即判斷出血位置，盡快以「高而緊」為原則，在確認施打處無異物後，將止血帶直接施打於傷肢之最近心端。（非四肢與身體的交界處。）

台灣人的民防必修課：
從台海戰爭到居家避難，一次看懂

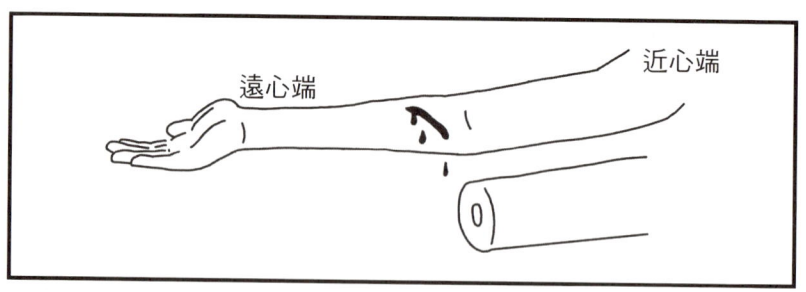

應變篇

遠心端　近心端

2. 若能確定位置，則在確認施打處無異物後，將止血帶環繞傷肢，施打於傷口近心端5～8公分（往心臟方向四指幅並避開關節處），從日字環處拉緊帶體。
SOF：將帶體盡量拉緊直到旋桿下方紅色三角形的「鬆緊指示」沒入帶體。
CAT：將帶體盡量拉緊至手指無法伸入帶體與皮膚間的縫隙後將魔鬼氈固定。
如傷處為腿部或不易套入止血帶的狀況－
SOF：輕扭解開帶扣，使止血帶由環狀轉為帶狀，帶扣與帶體垂直輕拉即可延長帶體的纏繞範圍，使帶體環繞傷肢並扣上帶扣。
CAT：將魔鬼氈拉開，從日字環處解下帶體，使止血帶由環狀轉為帶狀，再將帶體環繞傷肢並扣回日字環，拉緊後用魔鬼氈固定。
3. 轉緊旋桿，直到完全摸不到遠端脈搏為止。
（若為斷肢無從量測遠端脈搏的狀況，則以出血停止為準。）
4. 將旋桿放進卡槽內。
SOF：並使用三角固定環將旋桿固定，將多餘的帶體纏繞收納於傷肢。
CAT：將多餘的帶體收納進卡槽。
5. SOF：於帶尾的時間條寫上施打止血帶的時間，儘速將傷患後送。
CAT：將時間條貼上，並寫上施打止血帶的時間，儘速將傷患後送。

止血帶優勢：
- 止血效果卓越，能夠將肢端血液完全阻斷
- 能在極短時間內完成止血
- 可以單手使用

⚠️ **注意事項**

1. 止血帶原則上需直接施打於皮膚上，並且絕對不可施打在異物上（如鈕扣、鑰匙、皮包、手機）上。若未及移除衣物，則在確認傷口近心端的衣物單薄處無異物，並避開關節處後，直接施打在該處。
2. 如無法判斷傷口確切位置，則可直接施打在該肢體最近心端。（高而緊）
3. 標註時間，送醫過程中皆不鬆綁。
4. 如一條止血帶無法有效止血，則於近心端並排再綁上一條；如果近心端無法施打，就改為遠心端；不論如何，兩條止血帶應該盡量靠近。

台灣人的民防必修課：
從台海戰爭到居家避難，一次看懂

應變篇

收納與整理 （緊緻版）

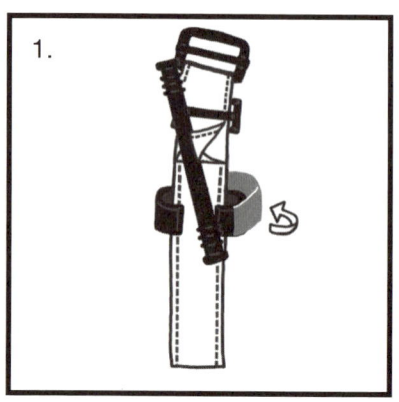

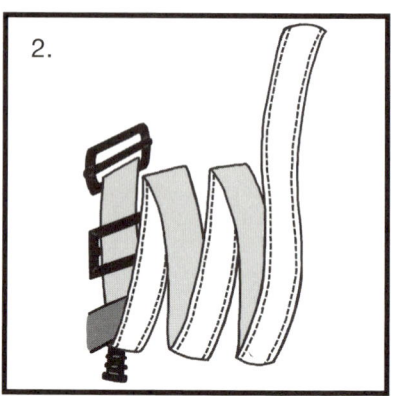

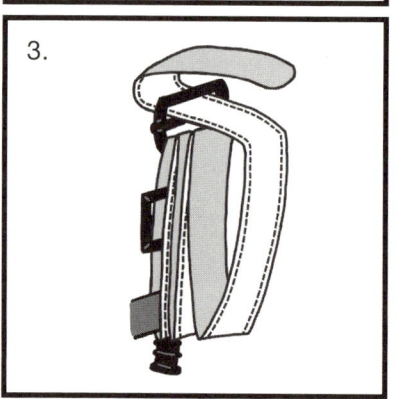

1. 將時間條黏貼於同側，使其不要跨過卡槽。
2. 將尼龍帶向上摺起，將日字環下緣切齊；並用同樣的方式再摺一次。
3. 將尼龍帶穿過日字環，魔鬼氈順勢黏起。
4. 完成。

完成！

收納與整理 （簡易版）

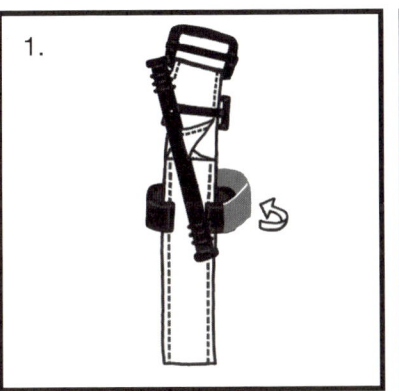

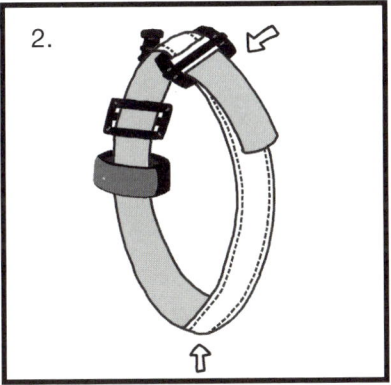

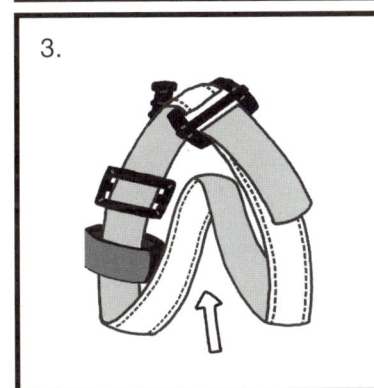

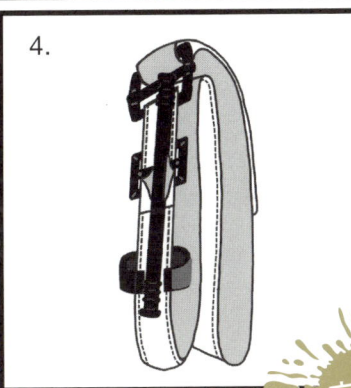

1.
2.
3.
4. 完成！

1. 將時間條黏貼於同側，使其不要跨過卡槽。
2. 將尼龍帶穿過日字環，約取一個手掌長度，將魔鬼氈黏起。
3. 一手握著日字環，另一手將止血帶托起，以日字環為中心向後對半摺起。
4. 完成。

MEMO

以容易快速取用為原則。有時橡皮筋也可以是整理配置的好工具。

第二章 基礎救護

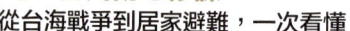

▶ 填塞式止血法

1. 確認現場安全。
2. 求救或指定旁人求救。
3. 迅速確認可行的止血方式並馬上施行。
4. 若有需要,即進行填塞止血。
5. 將紗布在指尖纏繞,做出保護手指及輔助加壓的止血球。
6. 目視及探索傷口內,手指將止血球壓入出血處,兩手持續快速將紗布塞入、填滿傷口各處直到出血停止為止。
7. 將剩餘紗布置於傷口上方持續加壓,直到後援抵達,或於確認止血後。

⚠️ 注意事項

1. 傷口填塞常用於四肢與軀幹的交界處,不可用於體腔。
2. 如傷口繼續出血,不要挖出填塞、加壓之繃帶,直接於出血處繼續壓上紗布、乾淨毛巾或衣服等材料持續加壓。

台灣人的民防必修課：
從台海戰爭到居家避難，一次看懂　應變篇

作　　　者	黑熊學院
企劃選書	林君亭
責任編輯	鄭清鴻、楊佩穎
行銷企劃	張笠
美術設計	兒日設計
內頁排版	藍天圖物宣字社
繪　　　圖	Ilid Chou
出 版 者	前衛出版社
	10468 臺北市中山區農安街 153 號 4 樓之 3
	電話：02-25865708 ｜ 傳真：02-25863758
	郵撥帳號：05625551
	購書・業務信箱：a4791@ms15.hinet.net
	投稿・編輯信箱：avanguardbook@gmail.com
	官方網站：http://www.avanguard.com.tw
出版總監	林文欽
法律顧問	陽光百合律師事務所
總 經 銷	紅螞蟻圖書有限公司
	11494 臺北市內湖區舊宗路二段 121 巷 19 號
	電話：02-27953656 ｜ 傳真：02-27954100
出版日期	2024 年 11 月初版一刷
定　　　價	新臺幣 500 元（套書不分售）

套書 ISBN：978-626-7463-68-0

©Avanguard Publishing House 2024
Printed in Taiwan.

＊請上「前衛出版社」臉書專頁按讚，追蹤 IG，獲得更多書籍、活動資訊
https://www.facebook.com/AVANGUARDTaiwan

國家圖書館出版品預行編目 (CIP) 資料

台灣人的民防必修課：從台海戰爭到居家避難，一次看懂. 應變篇 / 黑熊學院作. -- 初版. -- 臺北市：前衛出版社, 2024.11

　　面；　公分

ISBN 978-626-7463-67-3（平裝）

1. CST: 民防　2. CST: 國防教育　3. CST: 兩岸關係　4. CST: 戰爭

599.78　　　　　　　　　　　　　　　　113016560